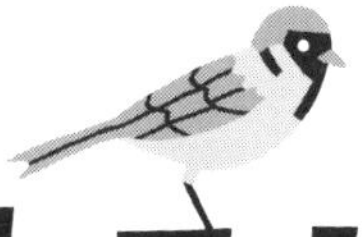

ウスビ・サコの「まだ、空気読めません」

ウスビ・サコ

はじめに

——にぎやかでよろしいね《うるさくて迷惑です》

私は、西アフリカのマリ共和国で生まれ育ちました。

マリ人は直接的で密なコミュニケーションを大切にしています。たとえば、あいさつだけでも、へたをすると5分以上かかります。日本のように、「こんにちは」だけではすまず、

「よく眠れましたか？」

「今日の調子はどうですか？」

「家族のみんなは、元気ですか？」

「近所のみんなは、元気ですか？」

「職場のみんなは、元気ですか？」

「ここにくるまでの道のりですれちがった人たちは、元気でしたか？」

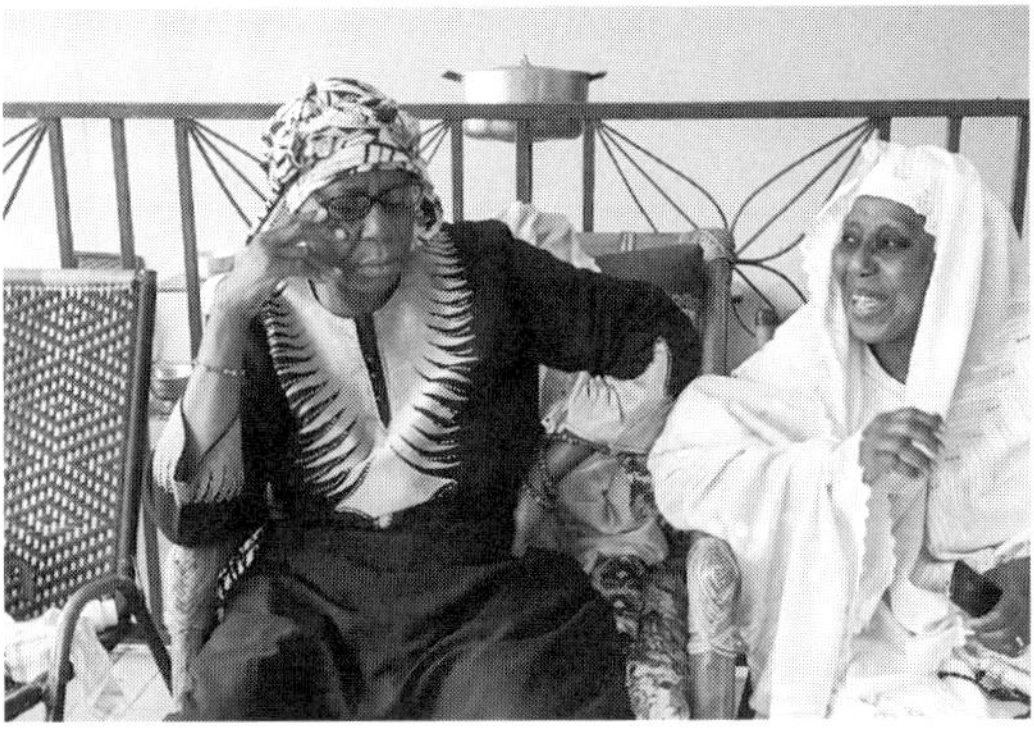

あいさつを楽しむマリのお母さんたち

長々とあいさつを交わすマリの大工たち

など、とにかく質問が多いのです。

「あっ、そういえばこのまえ、職場の同僚が結婚したんです！」

なんて話を広げようものならば、

「それはすばらしいですね！　結婚相手は、どちらの方なんですか？」

と、会話がどこまでも展開していきます。


私が日本に住むようになってから、すでに30年がたちます。しかし、この国での日々の生活には、いまだに「なんでやねん」という疑問が絶えません。

京都での生活にも慣れ、ご近所さんとの関係も良好になってきたころのむかし話を聞いてください。

当時、学生だった私は、留学生を支援するボランティア団体を組織していました。事務局は私の自宅に設けていました。登録者数は600人にのぼり、連日、20人から30人ほどの人びとが詰めかけ、当の私が家のなかに入れないこともありました。

打ち上げもひんぱんに開きました。パーティーをしたり、いっしょにサッカーの試合をテレビ観戦したりと、若者たちがどんちゃんさわぎです。何か催しをした翌

日になると、ご近所の方は決まって、

「にぎやかでよろしいね」

「あなたがきてから、このあたりがにぎやかになりました」

などと声をかけてくださいました。

──おお。ご近所のみなさん、なんか俺にめっちゃ関心もってくれてるやん。

「にぎやかでよろしいね」といつもほめてくださることに、私はかなり気をよくしていました。そうこうしているうちに、サッカーの試合をテレビで観戦したある晩、警察官が訪ねてきて言いました。

「近所から苦情が出ているので静かにしてください」

──？

私は、即座に事態を飲み込めませんでした。警察の方に
「ご近所の方々はいつも私をほめてくれているので、苦情などあるはずがありませ

日本のわが家での打ち上げ風景

私の実家の中庭で命名式を祝うマリの人びと。
マリ人はとにかくみんなで集まりたがる

ん！」
と必死にうったえたのですが、無意味です。その晩、私はショックに打ちひしがれました。

また、私の家を訪れる人たちは、家のまえに大量の自転車を乱雑にとめていました。ところが、ふしぎなことに、いつも知らないあいだに自転車がうつくしく整理されていたのです。誰がこのようなことをやってくれているのか、ずっとわからないままでした。

——整頓好きな日本人、めっちゃええやん！　もう、この地域に一生おろうかな。

そしてある日、夜中に家のチャイムが鳴りました。ドアを開けると、向かいに住んでいたおじいさんが立っています。
「自転車が路上にあふれているから、通過する車が私の敷地に入り込む。明日から自宅の塀を延長することにした」

そう言いわたされました。

私たちがミーティングやパーティーをしているあいだに自転車を並べなおしてくれていたのは、彼でした。自転車の整理整頓は、「迷惑です」という無言のメッセージだったのです。

おじいさんの敷地内のことなので、塀の工事について私が口出しするすじあいは当然ありません。ただ、迷惑だったのなら早く言ってくれたらよかったのに、と思いました。

その後、私が来訪者の自転車を整理するようあらためたところ、延長した塀の一部を彼のほうからとり壊してくれました。

私は、マリの高校を卒業したのち、国の奨学生として中国にわたりました。1年目を過ごした北京語言大学《ペキンごげん》では、800人を超えるさまざまな国・地域出身の留学生と交流しました。旅行好きなこともあって、機会があれば世界各国の友だちの家々を訪ね、文化のちがいを楽しみました。

日本へやってきたのは、1991年です。日本語学校に通うため、最初は半年間大阪に住んでいましたが、その後、京都大学大学院の修士課程に進み、建築計画学を学びました。2002年には、日本国籍を取得しました。いまは京都精華《きょうとせいか》大学で、学長をしています。

さまざまな場所に住んできたので、バンバラ語、マリンケ（マンディンカ）語、ソニンケ語、フランス語、英語、中国語を話せます。あと、日本語も少々。

さまざまな国や地域を訪れているうちに、どの社会集団にもその構成員のあいだで共有されている「生活コード」（ルール、慣習、しきたり）があることを実感しました。日本では「にぎやかでよろしいね」が、場合によっては「うるさくて迷惑です」を意味する暗号になっていることも、そのひとつでしょう。

本書では、私が「なんでやねん」と思った体験をつづりながら、「日本人が気づいていない日本」を紹介していければと思います。日本の「あたりまえ」が、じつはあたりまえではないことにおどろかれるかもしれません。

マリアン・ジャパニーズ《マリ人であり日本人》である私のとまどいと、発見と、よろこびとを、あたたかい目でみていただけたら幸いです。

それでは、私の目から見えた日本の姿を、ご覧ください。

目次

装丁・イラスト・本文デザイン
鈴木千佳子

序章

空気読めない

暗号の国

「アホのサコ、奴隷の旅からきたんか？」

マリでは、苗字《みょうじ》によって民族や社会的属性がわかります。たとえば、私の苗字「サコ」（SACKO, SAKHO, SAKO）は、ソニンケ族（サラコレ、マラカ）のもので、代々商人を生業《なりわい》としてきた家系です。

また、「サナンクヤ」（Sanankuya）と呼ばれる慣習があります。これは、ゆかりのある苗字同士のあいだで冗談を言いあい、コミュニケーションを交わす文化です。

たとえば、私がマリに帰って入国審査を受けたさい、審査官にいきなり「アホのサコ、奴隷の旅からきたんか？」と言われたことがありました。ひさしぶりのマリでびっくりしてしまい、「なんやねん！」と強い言葉で返すと、審査官から「君はまだまだマリ人として一人前になっていないね」とたしなめられてしまいました。本来ならば、私も相手がサナンクヤの関係にある苗字かどうかを確認して、「君こそ僕の奴隷」と冗談で返すべきだったのです。

ほかにも、とある会社に用事があったとき、窓口の担当者が冗談を言いあう関係にあ

行事で伝統衣装を身につけているソニンケ族の家族

サナンクヤの冗談をふっかけてきた砂売り。苗字を伝えたところ、
「お前は奴隷だろ！　これ手伝え！」とさけんできた

サナンクヤの冗談で、これ以上ないほどの笑顔を見せる男性

る苗字の人だったことがありました。その人はほかの客たちに、「このガキは私の手下なので、先にとおしてあげて」と笑ってお願いしてくれました。

冗談を許しあうことは、おたがいが良好な関係にあることの証《あかし》です。そして、相手に対して無償の支援と愛を注いでいることも意味しているのです。

日本語のあいまいさ

これまで世界中を旅して、いくつかの国や民族の言葉を話せるようになった私ですが、日本語ほどむずかしい言語はありません。

私はよく、「日本語には論理性がない」と口にします。厳密には論理的な構造があるのかもしれません。しかし、日本語を理解するためには、言葉だけではなく、日本文化についての知識もそなえている必要があります。そうでなければ、言葉の裏にある真意や、行間にひそむメッセージをつかみそこねてしまうのです。

外国人の多くは、はじめに日本語の文法から教えられ、しだいに会話を習っていきます。学習のなかでの教科書的な日本語であれば、まだ論理的に理解できることもあります。ところが、実際の生活のなかでは、「にぎやかでよろしいね」が「うるさくて迷惑です」を意味するなど、教科書どおりにはいかないのです。

文法の学習のなかでも、どういうことやねん、と違和感を覚えてしまうことがありました。たとえば、喫茶店で注文をする場面の練習です。「何になさいますか？」という質問に対し、「僕はコーヒーだ」と答えることが、どうしても腑《ふ》に落ちませんでした。たとえば英語で、“What do you want ?”と聞かれて、“I'm coffee.”と答えるなんて、ありえません。何らかの言葉が省略されているためか、文法構造がいったいどうなっているのか見当もつかないケースが、無数にあったのです。

日本文化の外で生まれ育った私のような人間にとって、あいまいな表現を用いたり、言葉を省略したりする日本のコミュニケーション・スタイルは、理解に苦しみます。

日本のコミュニケーションでは、非言語的《ノンバーバル》な部分が非常に大切です。たとえば、乾杯のときのグラスの位置、名刺を交わすときの高さ、顔の表情など、言外の部分にかなりのメッセージが含まれています。

日本で生まれ育った人は、こういったコミュニケーション・スタイルを無意識に身体化しています。そのため、私が日本語に疑問を感じて質問しても、論理的に答えてもらえることはまれでした。

「僕はコーヒーだ」

I'm coffee.(?)

こうした経験をへて、私は日本語の学習方法を途中から変更しました。疑問をもたないこと、もったとしてもあえて質問せず、まずは日本語を身体化することを優先したのです。

もちろん、ほかの国にも、その文化を知らない人からすると不可解な「生活コード」がたくさんあります。マリのサナンクヤも、そのひとつでしょう。

マリを訪れる外国人たちには、多くの場合、ホームステイ先の苗字があたえられます。そうなると、サナンクヤの関係にある人と出会ったさいに、きつい冗談がふっかけられます。フィールドワークのために私がマリに連れていった日本人学生のなかには、あまりのきつさにたえきれず、泣き出してしまった人もいました。

しかし、マリとはちがって、日本の「空気を読む」文化は、しくみがわかれば即座に理解できるような、シンプルなコードではありません。その特殊なあいまいさのなかで生きるためには、複雑な体験を一つひとつ積み重ね、じっくりと時間をかけて経験していく必要があります。

「ちょっと」という難問

日本で生活しはじめ、ある程度まで日本語が理解できたと思えるようになったころ、かえって多くの誤解が生じはじめました。日本語の独特なニュアンスのために、他人に迷惑をかけたり、とまどわせたりすることが増えたのです。

当時、やっと覚えた日本語を日本の友人や知人たちに披露《ひろう》したくて、よく電話をかけていました。そして、そのたびに都合を聞いて、「よかったら会いませんか?」と誘いました。そこでよく耳にしたのが、「ちょっと……」とか「少し……」という返事です。

なるほど。
ちょっとの時間なら
会えるんか。

「じゃあ、いつ会えますか？」とつづけると、おそらく緊急のことだと思ったのでしょう、ほんの少しだけ会ってくれた人もいました。この「ちょっと」「少し」が表と裏の二重の意味をもっていることを知ったのは、だいぶ時間がたってからです。

同じように「結構です」にも、かなりふりまわされました。もちろん、いまでは「結構です」が、その場の空気によって否定的な意味になったり、肯定的な意味になったりすることは理解しています。

イントネーションや音の強弱で言葉のニュアンスが変化する言語は、ほかにもあるでしょう。また、リップサービスのようなものは、どの文化にも存在します。でも、日本語の場合、そうした音の区別がなかったり、日常で使われるありふれた言葉が隠れた意味をもっていたりします。

日本語を覚えたての私は、「近くにきたら、いつでも立ち寄って」と言われたとき、本当に自分が誘われているのだと信じ込みました。そう言ってくれた知人の自宅を訪ねたときに、本当にきちゃった!?　とおどろいていたその人の顔は、いまでも忘れられません。

「いつ帰る？」ってなんで聞くの？

マリ人は、他者に迷惑をかけることに対して、遠慮をしません。

たとえば、夜遅くになり帰れなくなってしまったら、当然のように友だちの家に泊まります。家族がいっしょに住んでいようとも、「あっ、リビングあいてんじゃん。ちょっとここで寝て、明日帰るわ」と、堂々と居すわるのです。

私の実家は首都バマコにあるため、地方からよくお客さんが訪ねてきました。「用事があるから、1日泊まる」と言っていた人が、いつのまにか1年間住んでいたことなどざらです。そういった人たちは、食費を払いませんし、平然と家の行事にまで参加します。そして、誰ひとりとしてそれを気にしません。

しかし、こういったマリ的な発想は、日本人には通用しませんでした。

中国の大学を卒業した年、私を含むマリ人3人で、東京にある日本人の友人の実家を訪ねたことがありました。当然私たちは、そこに滞在するつもりでいました。

相手も泊まらせてくれるつもりだったようで、いろいろと準備してくださり、せまいスペースながら、ご両親のふとんの横に私たち3人の寝る場所を確保してくれました。当時、私たちは簡単な単語を断片的に理解しているだけで、日本語はほとんどわかりませんでした。

マリでは、いつまで滞在して、いつ帰る、といったことを言わないし、聞かれることもありません。このときの日本旅行は夏休みを利用していたこともあって、私たちはいつ帰るかをまったく決めていませんでした。

しかし、ホストファミリーは、私たちがいつまで日本に滞在するのかを聞き出そうとしていたようです。パーティーが開かれるたびに、外国語がわかるお客さんが呼ばれていて、私たちに「帰国日はいつですか?」とたずねてきました。もちろん、私たちは「とくに決まっていません」「別に急いでいません」と答えるだけです。そして、知らず知らずのうちに、かれらを不安がらせていたのでした。

しばらくして、ホストファミリーは関西に住んでいるほかの友人に連絡したうえで、私たちに「京都の祇園《ぎおん》祭を見にいってはどうですか?」とすすめてきました。当時の私たちは祇園祭のことなど知りませんでしたから、とくに京都にいきたいとは思いませんでした。それでも、京都への新幹線チケットをプレゼントしてまで強くすすめてくれるものですから、ようやく私たちは、そのホストファミリーのお宅をあとにしました。

ホストファミリーから新幹線のチケットをわたされ、
はじめて見にいった祇園祭。左が私

ふしぎなほどひんぱんに開かれたパーティーで、いつ帰るのかをくりかえしたずねられた意味が理解できたのは、日本でしばらく生活をしてからのことでした。

本音を言わない日本人たち

日本の大学の文化は独特です。日本の大学院に進学した私には、大学文化の知識がまったくありませんでした。

配属された研究室のメンバーから非常にこころよく受け入れていただき、ランチやディナーをともにすることが多かったのは幸運でした。しかしやはり、所属メンバー同士の立場や上下関係、年齢差、先輩・後輩の関係などに応じた言葉の使い分けには、いつも頭をなやまされました。

留学生という私の微妙な立場も、問題を複雑にしていました。当時の多くの留学生は、同級生の日本人学生より2、3歳ほど年上で、場合によっては、もっと年上ということもありました。しかし、研究室では、年齢に関係なく同級生同士で役割分担をしたり、チームを組んで共同作業をしたりします。

さらに、私が所属していた工学研究科には、グループ単位で研究する以外に、独特の文化がありました。昼夜逆転の生活を送っている人が多かったのです。午前中の授業をサボる学生（とくに大学院生）がたくさんいました。

チームを組んでいたメンバーのなかにも、私とは生活パターンが正反対の人がいました。留学生の私が朝から大学にきて授業に出席し、夕方に帰るのに対して、彼は夜から大学にきて作業をし、朝に帰るという生活を送っていたのです。

いや、なんで授業に出えへんねん……！

私からすれば、その人こそ、授業も作業もサボっている学生にしかみえませんでした。しかし、彼からすれば、私のほうが共同作業をサボっている留学生にみえていたようです。その学生は、私のいないところで不満をもらしていたようですが、私に直接言ってくることはありませんでした。

ある日、その人が研究室のお茶やコーヒー代を集めようとしたときに、事件が起こり

大学院の研究室メンバーと

ました。私が少し冗談をふっかけたことから、彼がいきなり怒ってしまったのです。イスをけるわ、大声でさけび出すわで、びっくりしました。事態を把握していなかった私も、同じくらいの大声で言い返してしまいました。それが相手の予想外だったのか、つかみあいのけんかにはいたりませんでした。

ひとこと言えばすむようなことが、これほどの大事になるまで放置されるなど、夢にも思いませんでした。研究室で私だけが、空気を読めていなかったようです。

しかし、最終的には、ぶつかりあったことでコミュニケーションが生まれ、かえって仲が深まりました。ストレートに言いあう、というマリの文化を体現しながら、その後は授業などのさまざまな場面で協力しあえたのです。研究室を出るときには、おさがりをたくさんくれたりもしました。

大学の教員になって、自分の研究室の学生たちを観察してみても、似たようなことが起こっています。学生たちが研究室に配属されると、はじめのうちは、研究室という場と教員によってグループ・ダイナミックス（集団力学）が生まれ、仲のいい集団になったかにみえます。しかし、時間がたつと、学生たちは小集団に分裂し、小集団同士で無言の競いあいをはじめます。さらに、同じ小集団に属するメンバー同士なら仲がいいのかというと、そうでもありません。空気を読んでほかのメンバーに無理矢理自分をあわせ、不満をつのらせている人が、必ず数名いるのです。

それが明らかになるのは、ゼミ旅行などでチーム分けをする場面です。事前の打ちあわせでは、「いっしょの車にしようね！」「同じ部屋でうれしい！」と、学生たちははしゃいでみせます。しかし、打ちあわせのあと、そのうちのひとりがこっそりと研究室に戻ってきて、「あの人と同じ部屋はいやだ」と部屋割りの見なおしを要求してくるのです。

「なんでみんなのまえで言わなかったの？」とたずねると、「空気を読んだんです。雰囲気を壊して、迷惑をかけたくなくて……」と答えます。

いやっ、ちゃうやんっ？いま、俺にめちゃくちゃ迷惑かけてるやんっ!?

私からすると、このように集団で決めたことをこっそりと裏で変更しようとするから、永遠に仲よくなれないのではと思ってしまいます。

冷たい「空気」

文化人類学者のエドワード・ホールは、直接的な言葉ではなく、文脈や暗黙の了解を重視しながらコミュニケーションをとる文化を、ハイコンテクストと位置づけました。それに対し、言葉どおりの明確な意味に沿い、論理性を重視しながらコミュニケーションをとる文化を、ローコンテクストと位置づけています（『沈黙のことば』南雲堂、1966年）。日本の「空気を読む」という文化は、ハイコンテクスト・カルチャーの最たる例でしょう。

日本人が「空気を読む」のは協調性があるからなのだと、よくいわれます。しかし私は、その場で本音を伝えない「逃げ」こそ、協調性がない行為だと思っています。「空気を読む」「はっきり意見を言わない」「みんなとは反対の意思を悟られまいとする」など、日本では美徳と思われがちな行為は、むしろ人間関係を冷淡にしているように思います。

そして、多くの外国人はこうした生活コードを共有していないにもかかわらず、日本人はそれが理解されているものと思い込んで行動しがちなようです。

もともと「空気を読む」というのは、相手に対する配慮だったはずです。わかりあうことをあきらめて、人を避けたり、問題を先のばしにしたりすることが、「空気を読む」ことだといえるのでしょうか。

私たちはいま、「空気」とは何かについて、再考すべきなのかもしれません。

1章

無宗教

「いただきます」って、宗教やん

「ブタ」と「トン」

最近はハラール・フードを提供する店が増え、ムスリム（イスラム教徒）である私も助かっています。「ハラール」というのはイスラム教の教義にのっとっているということです（反対に、禁じられているものやことを「ハラーム」といいます）。料理であれば、教義に則して処理された肉などが食材として使用されていなくてはなりません。

しかし、私が来日した１９９０年代初頭にはそのような飲食店は非常に少なく、ハラール食材を売っている店さえほとんどありませんでした。イスラム教の教義には豚肉禁止、飲酒禁止などが定められており、ムスリムとしてそれらを守ることは必須とされています。

日本の一般的な飲食店では、豚肉がそのまま使われていなかったとしても、そのエキスが入れられていたりします。同じく、調理の段階や仕上げに日本酒や洋酒が使われたりもします。厳密にはみりんでさえ、お酒になります。また、豚以外の肉であっても、本当は、ハラールの肉でないと食べることはできません。

そのため、私が日本にきて選択した対処法は、とにかく「ブタ」を食べないことと、お酒を飲まないことでした。

ただ、まわりの人たちは宗教上の食事の制約にあまりなじみがなく、そこまでの知識もありませんから、ハラールについての気づかいもありませんでした。

当時私は、日本語で豚を「ブタ」と呼ぶことは知っていましたが、部位や調理のしかたによって呼び方が変わることまでは知りませんでした。そのため、よく昼時に研究室のメンバーと「とんかつ屋」にいき、すっかり牛肉だと思い込んだまま、いつもヒレカツを注文していました。また、夜になると「とんこつラーメン」を食べにいくこともあり、チャーシューをダブルでのせて食べていました。

この「トン」っていう食べもん、めっちゃうまいやん……。

京都で有名な「王将」の餃子もたびたび食べに出かけました。ハンバーグを食べるときには、それが「アイビキ肉」でつくられていることは聞かされていましたが、豚肉と牛肉を混ぜたものであることは知りませんでした。

「トン」が豚のことであり、「合挽《あいび》き肉」が豚肉と牛肉のミンチを混ぜたものであると知ったのは、だいぶあとになってからのことです。周囲の人たちは、私が承知のうえで豚肉を食べているのだと思い込んでいたそうで、私が自分で気づくまで、「空気」を読んで何も言ってくれなかったのです。

かたちだけの宗教儀式

日本にきておどろいたことのひとつに、宗教に対する柔軟性や寛容さがあります。

以前、友人から結婚式の案内状がきたので読んでみると、式を教会で挙げると書かれていました。その友人がクリスチャンだったとは初耳でしたので、失礼があってはいけないと思い、作法についてほかの出席者に聞いておくことにしました。すると、「適当にすればいいんだよ」「別に、私たちもクリスチャンではないし、かたちだけですよ」とアドバイスされました。

そのため安心して教会の式に参列したわけですが、なんとアドバイスに反して、儀式は格式にのっとったものでした。そのうえ、賛美歌を合唱したり、聖書の一節を読んだりする場面では、日本人の参列者全員がとどこおりなく儀式をこなしていたのです。まるでどこかであらかじめリハーサルでもしていたかのようで、私にはかれら全員が熟練の役者のようにみえました。私自身も教養として新約・旧約聖書には目をとおしていたものの、日本人の参列者と同じように演じることはできませんでした。

別の友人から呼ばれた結婚式もキリスト教式で、チャペルが完備されたホテルで挙げられました。そのさい、式場に入るまえにたまたまホテルのロビーで会話を交わした外国人が、「今日このホテルでバイトがあるんだ」と言っていました。

式がはじまると、その人がおごそかに牧師を務めていました……。

また、日本のクリスマス・シーズンは大きな盛り上がりをみせます。しかし、これはキリスト教の本来的な文脈からは、大きく外れているようです。

ハロウィン・フィーバーが終わると、クリスマス・フィーバーがはじまり、家庭、職場、友人たちのサークルなど、さまざまなところで行事を意識させられます。日本に移り住んでから、一年間でもっとも大切な日はクリスマス・イブであることがわかりました。その一晩だけ、レストランは料金を高く設定したり、有名なレストランになると予約でいっぱいになったりするほどです。多くのレストランはカップル客でいっぱいになります。クリスマス・イブは恋人に告白するチャンスであり、また、それまでの関係を再確認する機会でもあります。

さらに、クリスマス・イブにはプレゼントが欠かせません。日本のクリスマスは商業的価値をともなう社会現象でもあって、そこへ最近になって、ハロウィンがつけ加わったのでしょう。

「無宗教」という宗教

世界の多くの国では、宗教教育が学校教育の一環としておこなわれています。政教分離の制度をとり入れている国でも、地域によっては、そこで普及している宗教について学校で学んだり、信仰を実践したりしています。学校という人間形成の場において、信仰をはぐくむことが重要視されているのです。

私の生まれ育ったマリでは、国民の90パーセント以上がムスリムだといわれています。残りのほとんどは、キリスト教徒と、自然崇拝などの土着の宗教を信仰する人たちです。

マリの学校やビジネスの制度はフランスから輸入されたものが多く、キリスト教の暦《こよみ》に従っています。たとえば、クリスマスやイースター（イエス・キリストの復活を祝う復活祭）は、学校が休みになります。最近では、クリスマス・イブに各地の教会でおこなわれるミサがテレビ中継されています。

私は小学校低学年をカトリック・スクールで過ごしたため、さまざまなかたちで家庭での宗教と学校での宗教とのちがいを経験してきました。国外に留学するまでは、このような過ごし方が一般的だと思っていました。

しかし、中国の大学に留学したときは、民族によってはイスラム教、仏教、チベット仏教などを信仰する人たちがいたものの、宗教関係者と接する機会はさほどありませんでした。特定の宗教を信仰する留学生同士のあいだで宗教的行事がおこなわれることはあっても、そこに異なる宗教を信仰する人が参加することはほとんどありませんでした。ただ、クリスマス・イブだけは、多くの留学生寮で親睦会的なパーティーがおこなわれました。

日本人に「宗教は？」とたずねると、たいてい「無宗教です」という答えが返ってきます。

えっ？ 無宗教って どういうこと……？

想像をこえた答えだったので、はじめてそう言われたとき、言葉を失いました。日本人のどの行動をとっても、何らかの教えに従っているようにみえたというのに……。宗教を信仰しない人に遭遇したのは、はじめてのことでした。

しかし、もう少し掘り下げて質問をすると、お墓がどこにあるとか、それによって宗派が異なるとか、さらに仏教と神道の両方の行事をあれこれしているといった話がはじまります。地域の行事などには宗教に関係なく参加し、家族の行事では自分の宗派に従う、といったところでしょうか。

さまざまな宗教を無自覚に受け入れる日本人の宗教的寛容さは、日常の行為にもひんぱんに見出されます。日本人の宗教へのフレキシブルな対応は、ある意味で「宗教的」

にさえみえてしまいます。日本では、日常生活のさまざまな行為のなかに宗教的な意味が含まれていたとしても、深く詮索されません。

たとえば、「いただきます」「ごちそうさま」「お邪魔します」といった言葉は、誰に向けて発せられているのでしょうか。おそらく、食事を提供してくれた人、自宅に迎え入れてくれた人にだけ発せられているわけではないと思います。

私自身、深く理解できているわけではありませんが、日本の人たちの日常生活を観察していると、さまざまな行為がどこか宗教と深くかかわっているように感じられます。そしてもし、これらの行為を無自覚にしているのだとすれば、日本の社会には宗教意識が深く浸透しているように思えるのです。

いただきます?

宗教とコミュニティ

当然ながら、「宗教」をひとつに定義することはできません。

しかし、多くの場合は、何か人類よりも大きな存在によって人間社会や自然などがつくられ、それが存続することの許しと恩恵を得るために、この存在を崇拝し、この存在に献身する営みである、とされているようです。あるいは、宗教はコミュニティ内で共有されるさまざまな行動規範や信念を定め、コントロールするものであると解釈されたり、個人や集団の生活習慣や行動規範を規定し、その遵守に根拠をあたえるものだとされたりもします。また、宗教は人間の存在そのものに意味と規範をあたえ、死後の世界にまで影響をおよぼすものだとする見方もあるでしょう。

ともあれ、おおむね個人と他者の関係、集団のありよう、理性的・倫理的な価値観にかかわっているようです。つまり、宗教とは、個人が社会や自然のなかで合理的かつ倫理的に生きる方法を定め、さとしているものだと考えられます。

「幸福」の解釈は、文化や人によってさまざまに異なります。ただ、世界中の宗教を見わたしてみると、ある程度の歴史と規模をもっていれば、一神教か多神教かにかかわらず、ほぼ一様に人間という生き物が他者を尊重し、他者と共存することが幸せの本質なのだととなえています。

これまで私は、何度か日本の学生や研究者を連れてマリにいきました。ラマダン（断食月）の時期であれば、みんながマリの人たちと同じく断食をしたり、集団礼拝にも参加したりしました。

あるとき、日本人の研究仲間から、次のようなことを言われました。

「マリの集団礼拝は非常にホッとします。コミュニティの構成員がおたがいの関係を確認しあい、連帯感を強める習慣ですよね。世代間の序列化や、社会階層間の相互扶助も感じられます。個人的には、宗教というよりは、コミュニティの形成と確認の場なのだと感じますね」

宗教的な営みは、個々の信仰という面以外に、個が集団に帰属する意識を確認する面ももっています。礼拝などの集まりを通じて、コミュニティのアイデンティティがその構成員のあいだで再確認されるのです。

私の地元ソゴニコ地区での犠牲祭の集団礼拝

無宗教コミュニティの包容力

日本社会に目を向けると、たとえ宗派や宗教観がちがっていても、地域でおこなわれる宗教的な行事に人びとが参列できるのは、そこにコミュニティの包容力があるからではないでしょうか。

私たち外国からきた居住者も、日本ではひんぱんに地域行事への参加を求められます。実際に参加してみると、それをきっかけに地域の人びととの距離が非常に近くなり、道ばたですれちがったときのあいさつと笑顔が変わってきます。これこそ、宗教がそなえている真の機能ではないかと思うのです。

あらゆる宗教を受け入れる日本人の柔軟さと寛容さに、私は大きな可能性を感じています。日本社会では、仏教であれ、キリスト教であれ、イスラム教であれ、どんな宗教にも共通する共同体維持の機能が日常生活の実践のなかに浸透していて、それがそれぞれの宗教的規範とほぼ矛盾していないことにおどろかされます。

世界各地で宗教的な対立がつづいていますが、宗教的な柔軟性や寛容さをもっている日本のコミュニティでは、異なる宗教同士の共存が可能です。グローバル化したこれからの世界においては、宗教の共存が求められます。

私は、日本社会のなかに、そのような共生社会を実現するためのヒントがあるのではないかと思っています。

2章

住宅

日本はスリッパ多すぎる！

スリッパの難解さ

かつて日本の友人宅を訪ねたときのことです。玄関で靴をぬぎ、スリッパをはいて家に上がったのですが、このスリッパが、外国人にとってはとてもやっかいなのです。奥の和室へ案内され、しばらく会話をしたあと、私はトイレにいきたくなり、家の人に案内してもらいました。トイレのドアを開けるとさらに別のスリッパが置いてあり、それにはき替えるように言われました。

用を足したあと、和室に戻った私は、そこではじめて気がつきました――

うわっ、このスリッパ、トイレのやつやん……！

トイレの入口に最初のスリッパを置き忘れ、トイレ用スリッパのままで和室に戻ってきてしまったのです。

このとき、日本のスリッパは、空間ごとに使い分けられているのだと学びました。外国人であれば、誰しもこのような経験をしたことがあるはずです。わが家でパーティーをすると、必ずといっていいほど、トイレのスリッパをはいたままうろうろしている外国人がいます。

マリでは（とくに田舎では）、裸足の文化が一般的です。神聖な場所に入るときや大切な行事でも靴をはきません。また、裸足だと大地の恵みを体で感じることができるということもあります（ただし、トイレのような場所は、自分の靴のままで入るのがふつうです）。

私は、学長室に入るとすぐに裸足になってしまいます。スリッパもはかず、裸足でうろうろしていると、学長室のスタッフによく「また裸足ですか……」と指摘されてしまいます。もちろん、来客のときには靴をはきますけど。

日本の居住空間には、さまざまなルールがあります。屋内の空間は細かく区分けされ、それぞれの場所にそれぞれの役割があることを理解しておかなければ、どこで何をすべきなのかがわからず、固まってしまいます。

まず、入口には、土間や玄関と呼ばれる小さな境界があります。ここはまだ完全に家とはみなされていません。そこから家のなかへと入るためには、誰であろうと靴をぬぎ、用意されたスリッパにはき替えます。そうしてはじめて、「内側」へとステップをふみ出すことができます。

また、家に入るさいには、「ハイ」「こんにちは」「元気?」といったカジュアルなあいさつではなく、「お邪魔します」「失礼します」など、謝罪めいた言葉を使わなければいけません。

日本の家で過ごすためには、ある種のリテラシー(知識、能力)が必要なのです。しかし、日本人にとってそれはあまりにも「あたりまえ」すぎるためか、誰も教えてくれません。外国人はそれを、失敗を重ねながら学んでいくものです。日本の家にホームステイしても、家族の暗黙のルールは教えてもらえません。多くの場合、お客さんならば許せる範囲で別の簡易的なルールが設定され、それが本当の日本の文化であるかのように教えられてしまうのです。

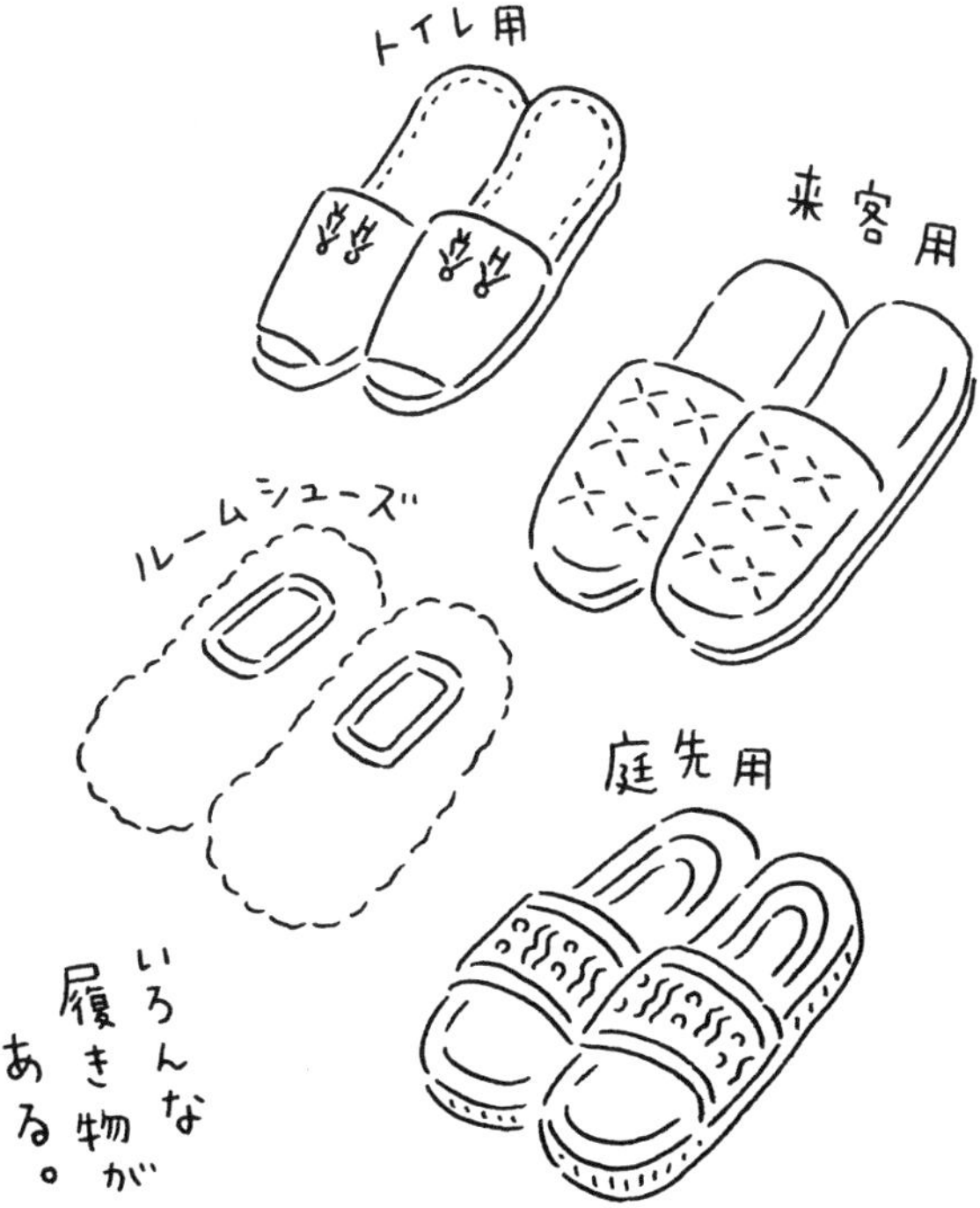
トイレ用
来客用
ルームシューズ
庭先用
いろんな履き物がある。

靴下の重要性

はじめて日本人の家を訪れたときに、大失敗をしました。靴をぬぐことを想定していなかったために、穴のあいた靴下をはいていってしまったのです。私自身は気にしていませんでしたが、招いてくれた方はずっと私の足元を気にしていたようです。帰るさいに「おみやげ」と言って、何かが入った袋をもらいました。帰宅してなかをのぞくと、新しい靴下、しかも白い靴下が入っていました。

とくに茶の湯などで和室に上がる場面でのことなのかもしれませんが、日本では人の家を訪ねるさいには白い靴下をはくほうが望ましく、色モノの靴下をはいている場合は、カバンに白い靴下を用意しておくべきだと教わったのは、つい最近のことです。

私は、夏にはサンダルをはくことが多いので、もちろん靴下などはきません。数年前、京都のさまざまな場所を訪れてディープな体験をする番組に出演しました。夏だったので、私は素足でした。座禅をしたあと、お茶席のシーンがあったのですが、私が素足のままだったことから、番組を見た人や知人から多くの批判が寄せられました。

恐怖の多機能トイレ

以前、スイスを訪れて古い友人と食事をしたさい、「日本は好きだけど、トイレにいくのが恐怖です」と言われました。日本にいくたびにトイレとお風呂が進化していて、使い方がわからず困るのだそうです。たしかに、日本のトイレは機能が多すぎて、私も謎のボタンにとまどうことがあります。

また、ある日のこと、フランス在住のマリ人が来日し、いっしょに日本のレストランにいきました。ところが、途中でトイレに立った彼が、なかなか戻ってこない。ようやく戻ってきた彼の服はびしょぬれで、非常に困った顔をしながら「トイレの床を水びたしにしてしまった！」とさけびました。ボタンを押しまちがえて水が空中に吹き出し、止めることもできなかったのでした。

日本のトイレはとても洗練されています。便座があたたかいのはもちろん、近づくとセンサーにより自動で便座のフタが上がったり、使用中の音の対策をしてくれたり、お尻を洗うシャワーの水圧・水温が調整できたりします。ある意味、ユーザーに優しくできているともいえるのですが、操作方法が複雑で、初心者は置き去りにされてしまいます。

また、トイレは単に用を足すだけではなく、やすらぎの空間ともみなされており、長居しても苦にならないようにできています。トイレは家のなかでもっとも重要な場所のひとつとしてつねに清潔に保たれ、さまざまなインテリアも置かれています。よその家を訪ねると、トイレをふつうに使っていいものかためらわれます。使用したあとは、できるだけ使った痕跡を残さないよう努めています。

日本にはトイレに関する伝説がたくさんあるようです。いわく、「便座のフタを閉めないとお金がたまらない」「清潔に保たないとトイレの神様が怒る」など。

もしかすると、日本人にとってトイレは特別な空間なのかもしれません。わが家でも、トイレはよく話題になります。トイレを使ったあとには、日本人である妻から必ずといっていいほど、「フタが開いたまま」「使い方が汚い」「スリッパの向きがちがう」といったチェックが入ります。私もトイレでリラックスしたいのですが、これではつねに気を張っていなければなりません。ゆっくりしたいがために、自宅マンションの共用部分にあるトイレを使うことも、たまにあります。

首都バマコにあるサコ家には、家の人用の水洗トイレとは別に、
上のような伝統的なトイレが2つ設置されており、
赤の他人も気軽に借りにやってくる。
バマコでは、このように両方のトイレを設置する家が多い

お風呂の使い方も、外国人が非常に困ることのひとつです。

わが家には留学生がホームステイにくることがあるのですが、まず、どこで脱衣すべきかにとまどうようです。お風呂場のなかの体を洗うスペースで服をぬいでしまって、いざシャワーを使おうとすると、バスタブを仕切るカーテンがなく、途方に暮れます。脱衣すべき場所がわかったとしても、どうやってシャワーの温度と水圧を調節するのか見当がつきません。まちがって冷たい水を浴びてしまっても、すでに裸になってしまっているので、家の人を呼んで教えてもらうわけにはいきません。また、ひとつのハンドルでシャワーと蛇口の切り替えができることなど想像もつかないので、使い終わったあと、一晩中、蛇口からお湯が出つづけていたこともあります。

日本のお風呂は慣れている人間にとっては便利なのかもしれませんが、リテラシーがない人にとってはかなり困る空間となっているのです。

日本では住まいの機能を増やせば増やすほど「良い」とされる傾向があります。

しかし、機能が増えれば、それを活用するために必要な知識も増えていきます。お風呂を自動で沸かす機能が増えれば、その機能を作動させるための手順や、それをいつ作動させればよいのかといったリテラシーが要求されます。そういったことが外国人に恐怖を感じさせてしまうこともあるのです。

ゴミ出しコミュニケーション

家のまわりを整える行為は、家の外側に広がるコミュニティと深く結びついています。玄関先をきれいにしたり、敷地に面した道路の掃除や打ち水をしたりすることなどをとおして、近所とのコミュニケーションがはかられるのです。

ゴミ出しも、大切なコミュニケーションのひとつです。日本にきてからというもの、私はゴミを出すたびに、出す場所、出す時間、出し方などについて、ご近所の方から小言を言われている気がします。ときには、私が出したゴミ袋を開け、分別しなおしたあとで、じつはお宅のゴミはこうなっていましたよ、と報告されたりもします。わが家にお客さんが泊まりにきて、翌朝、私が早くに家を出なければならず、その人にゴミ出しを頼んだときには、必ずといっていいほどご近所から注意を受けます。ゴミ袋の締め方やゴミ袋にかけるネットの張り方などを、しっかりと指導されるのです。

ある意味では親切なのかもしれません。ただ、日本に住んで何年もたち、自分ではゴミの捨て方などすでにマスターしたつもりでいるので、まだ言われつづけるのか……と、つい思ってしまうこともあります。

ゴミ問題は、多くの民泊で深刻になっているようです。以前、友人の4人家族が京都を訪ねてきました。家族4人でゆっくりできるということで、ホテルではなく民泊を利用することにし、快適そうな家を見つけることができました。

ところが、初日にオーナーさんから、「この地域のゴミの出し方はルールが細かすぎてわかりにくいので、ゴミはすべて家に残しておいてください。あとで私がまとめて出します」と言われたのだそうです。恐怖のあまり、ゴミ捨てはタブーになってしまいました。せっかく快適なところに宿泊できたにもかかわらず、たまったゴミのせいで、いい気分はしなかったと言っていました。

民泊事業者がゴミを処理しなければならない地域も多いようですが、ほかでも話を聞いてみると、宿泊者本人のゴミ出しが認められている地域でも、地域に迷惑をかけないようにと、オーナーさんが宿泊者にゴミ出しを遠慮してもらうケースがめずらしくないそうです。

日本にはゴミの分別・収集について厳しいルールを設定している地域がかなりあります。日本にやってくる外国人がこれほど増えているのですから、ゴミの分別と出し方をわかりやすく解説した多言語のマニュアルを用意する必要があるかもしれません。

ただ、私自身は、近所の方々がゴミのことを気にするのはコミュニケーション手段のひとつなのだと思うようにしています。ゴミを管理することが、地域に居住する人びととの関係を確認するだけではなく、新たに町内にやってきた人がどんな人物なのかを確認する手段にもなっているのです。「井戸端会議」のかわりに「ゴミ出し会議」によって、地域の情報交換がおこなわれているわけですね。

足元の「あたりまえ」を疑うこと

以前、フランス人の友人と話をしていたら、私とまったく同じ「トイレスリッパ事件」の経験をしたそうで、こう言っていました――

「日本はスリッパ多すぎる!」

さらに、彼女が日本人の友人と料亭にいったさい、ストッキングしかはいていなかったそうなのですが、突然その友人がカバンから靴下を出して貸してくれたことにびっくりした、とも語ってくれました。

日本で生活をしている多くの外国人のことを考えると、かれらをとまどわせないための配慮やコミュニケーションが必要だと思います。ふだんから外国人の苦労に気づき、寄りそうことができればベストです。しかし、いったい何が外国人をとまどわせているのかをつねに考えつづけることはむずかしいことかもしれません。

そこで効果的なのは、日本の家や生活における暗黙のルールを「見える化」することです。さまざまな空間や設備の使い方を、どの国の人にも通じるイラストや記号で示しておくだけでも、助かることでしょう。もちろん、それだけでなく、困っている人がいたら声をかけることも大切です。

どんなに小さなことでも、自分の日常の「あたりまえ」が必ずしもほかの人の「あたりまえ」ではないことを肝に銘じること。それが、共生の第一歩となるのではないでしょうか。

3章

おもてなし

逆にこっちが、
疲れるし

マリ流の「おもてなし」

マリには「ジャティギヤ」(Jatiguiya) というおもてなし精神があります。それは、ゲストを家族や友だちのように迎え入れる文化で、たとえば、「ちょっと今夜うちでメシ食べない?」というくらいカジュアルです。このジャティギヤでは、自分の家で過ごすのと同じくらい、ゲストにリラックスしてもらうことを大切にします。ゲストはその家族の一員となって行動をともにし、自由に過ごします。ときには畑仕事を手伝うこともあります。そうしているうちに、「ここは自分の居場所なんだ」とさえ思えるようになるのです。

ひとむかしまえまでは、ジャティギヤをとおして、ホストがゲストに婚姻相手をすすめることもありました。私の祖父も、とある村を訪れたことをきっかけに私の祖母と結婚し、そこで暮らすようになりました。ジャティギヤというおもてなしは、親戚関係のような末永い関係に発展することもあるのです。

「おもてなし」の重圧

日本では、東京オリンピックや大阪・関西万博の招致活動が盛り上がっていたころに、「おもてなし」がもてはやされました。実際に私も、おもてなしをテーマにしたイベントによく招待されました。

しかし、少なくとも、私が日本にきてからさまざまなところで経験したおもてなしには、形式的で不自然に感じられるところがあり、心がこもっているように思えないことも多かったのです。日本のおもてなしには、できるだけ個人を出さず、うわべでこなす部分があります。

1991年、日本にはじめて留学したころ、あるイベントに参加し、1週間ほどいくつかの家族のもとで日本の暮らしと文化を体験しました。そのなかで、私はとある老夫婦の家に2泊3日でホームステイをしました。ホテルや旅館に泊まるのではなく、あえてホームステイを選択しているわけですので、かた苦しいおもてなしなどまったく期待しておらず、日本のありのままの家庭を体験できればと思っていました。

初日のお昼はすし屋に連れていかれ、苦手なタコやイカ、イクラをがんばって飲み込みました。夜は家で、大量の鍋料理を食べさせられましたが、おいしくいただきました。

残念だったのは、奥さんがつねにいそがしそうに働いており、落ち着いて家族団らんを楽しむことができなかったことです。私が家にお邪魔していることでものすごく迷惑をかけてしまっているのではないかと感じ、申し訳ない気持ちでいっぱいになりました。

食事も終わりにさしかかり、これからたくさん会話をしようと思っていると、いつのまにか奥さんがいなくなっていることに気づきました。そして突然、「お風呂の用意ができました」と告げられました。さらに、お風呂から上がると、すでにふとんが準備されていました。早く食事を終わらせ、早く寝てほしいという圧力を感じて、胸が痛くなりました。

ホームステイにきているのに、まるで旅館にでも泊まっているかのようです。たくさん会話をして、家族のみなさんと親しくなるぞと思っていたのに、流されるまま、あっというまに初日が終わってしまいました。遊びにきていた小学生のお孫さんだけが気がねなく接してくれて、彼とは楽しく交流できたのが、せめてもの救いでした。

2日目の朝、食卓につくとさらにおどろくことがありました。トーストとコーヒーのセットの横に、ごはんとみそ汁と魚のセットが置かれていたのです。

何……？　このダブル朝食……！

両方とも私の分のようです。そういえば前日の夜に雑談しているとき、「サコさんはふだん、朝食に何を食べるの？」と聞かれていました。私は「トーストとコーヒーなどで簡単にすませますよ」と答えましたが、それはただの世間話だったはずです。

しかし、ご家族はおもてなしの一環として非常に気づかってくださり、2種類の朝食を用意してくれていたのです。何も告げられずに準備されていたことが、あまりに予想外だったので、コミュニケーションに自信をなくしてしまいました。困惑しながらも、申し訳ないので、結局このダブル朝食をがんばってすべてたいらげました。

ダブル

朝食。

一方的なおもてなしや、それに対してよろこぶことを期待される重圧にさいなまれていたところ、近くの家でホームステイしていた外国人同士で集まって夕飯を食べに出かけないかと、知りあいの外国人から誘われました。そこで、14時か15時ころ、外食しに出かけることをホームステイ先に伝え、「いいよ」と言ってくれたので、夜は外国人同士で食べにいきました。そのときにわかったのですが、ほかの外国人もホームステイ先でのおもてなしのプレッシャーによって、大変な思いをしていたようです。

お腹をたっぷり満たしてから、老夫婦の家へ22時くらいに帰宅しました。そして、テーブルの上に広がる光景を見て、あ然としました――

えっ？ 何なん!? このごちそう……！

豪勢な料理が、テーブルの上にびっしりと並べられていたのです。ごはんを用意してくれていることをあらかじめ言ってくれれば、私も知りあいの誘いは断り、家族団らんを楽しみたかったところです。あるいは、外国人同士で食べにいくことになったとき、「何言ってんの、早く帰ってきなさいって！」としかってくれたのならば、それはむしろ歓迎されているのだと感じ、とてもうれしかったことでしょう。

しかし、私には何も言わず、迷惑をかけないことこそが、かれらのおもてなしだったのです。たび重なるコミュニケーション・ギャップにショックを受け、だいぶ落ち込みました。

相手のことを知りたいと思う心

ところが意外なことに、お孫さんはそれ以来、毎年、年賀状を送りつづけてくれました。ホストファミリーとして私とかかわったことがかなり衝撃的だったらしく、外国に興味をもって、ものすごく勉強をしたそうです。彼は大学院で博士号を取得したのち、就職して、結婚して、ドイツに駐在することになりました。

おどろいたことに、２０１９年の年末、その彼が京都精華大学の学長室を訪ねてきました。５年間のドイツ駐在を終えて帰国し、すぐに訪ねてきてくれたのでした。

彼は、家族のみんなは「あの外国人は夕食をすっぽかした」と言っているけど、あんなに仲よく遊んでくれたのに、本当はなんでだったのかな？　と、ずっと疑問をいだきつづけていたようです。海外生活を経験して、当時の私の気持ちがよくわかったようでもありました。その日は私の自宅に招き、深夜までいっしょに語りあいました。

おもてなしを形式的にとらえ、思考停止してしまっていては、人間と人間のコミュニケーションは生まれません。しかし、このお孫さんのように素直な気持ちで相手と接していれば、「本当はなんでだったのかな？」という素朴な疑問が生まれます。そうやって一人ひとりと真正面から向きあうことができれば、30年の時がたっても、関係性は継続するのです。彼がそういった疑問をもってくれなかったならば、私たちはいまもなお、すれちがいつづけていたことでしょう。

おもてなしは、作業的にこなす形式やパターンではないし、義務でも、その場かぎりのものでも、一方的に押しつけるものでもありません。ひとりの人間として向きあい、素直な気持ちでコミュニケーションをとることが、本当のおもてなしではないでしょうか。

「おもてなし」の作法とリテラシー

数年前の梅雨の時期に、日本のお座敷で食事をしたことがあります。座る場所はあらかじめ決められており、部屋のしつらいも、掛け軸や生け花もすべて丁寧にととのえられ、工夫がこらされていました。その空間にはまったく、意味のないものはなかったのです。

食卓の上を見ると、うるしの盃《さかずき》がふせて置いてありました。しかし、いったいどうしたことか、その盃には水滴がたくさんついていたのです。

あっ、これは、ふかなあかん。

私は、とっさにその水滴をふきとりました。しかし、そばにいた知人から、「いやや、サコさん、これは最高のおもてなしで、季節を語ってくれているんですよ」と説明されました。そのとき、日本の最高のおもてなしとは、ゲストに季節・地域・文化を感じさせることなのだと学びました。

食事がはじまると、料理が出てくるたびにいちいち説明を受けました。

しかし、そのどれもが少量で、一口で終わってしまうものでした。おそらく、食事の料金のうち、食材そのものよりも、おもてなしにかかる費用の割合のほうが大きいのではないでしょうか。正直にいうと、割にあっていないなと思います。

もちろん、おもてなしを受けるリテラシーをしっかりと身につけていない私が悪いのは、いうまでもありません。とはいえ、明らかに伝わらない暗号のようなおもてなしは、受ける側を窮屈な思いにさせるだけではないでしょうか。

おもてなしをしてくれる方々は、私がよろこぶことをとても期待します。そのため、私がよくわからずにぽかんとしていると、「日本では、料理は目で食べ、耳で食べるのです」などと、いろいろと説明してくれます。頭ではわかるのですが、完全には理解しきれていないのが本音です。

たとえば、日本の文学や伝統文化の知識がないと、どんな意味が込められているのかわからないことも多いですし、「目で食べ、耳で食べる」感覚も、まだまだ身体化できていません。30年も日本に住んでいる私のリテラシーも、盃の水滴をふいてしまう程度のものなのですから、ほかの多くの外国人にそういったことを期待しても、土台無理というものです。

誰がどこに座るか、どういう順番で食べるかなど、おもてなしのルールは非常に複雑です。ですから私は、最初から「どこに座るべきですか?」「食べ方がわからないので教えてください」と聞くようにしています。そうするとほとんどの方は丁寧に説明してくれます。たまに、「えっ、そんなこともわからないの?」といったリアクションをとられることもありますが。

先日、私に日本の伝統文化について解説してくれた日本人の方は、「詳しく説明してしまうとうつくしさが崩れてしまうのです」と言っていました。また、日本の文化は「ブリコラージュ」(ありあわせのものを組みあわせてつくる器用仕事)だとも。その場かぎりのものを組みあわせながら、相手にそのひとときを最高のかたちで感じてもらうことが重要で、お茶の世界でいういわゆる一期一会《いちごいちえ》(一生に一度の縁)にも通じるそうです。ヨーロッパのような合理的な調和ではなく、ふつうは組みあわされないものを組みあわせることによって、ひとつのうつくしさを生み出すのです。

説明しすぎてしまうと、奥ゆかしさがそこなわれてしまうのは事実でしょう。ですが、そもそも相手に伝わらなければ意味がありません。相手の好き嫌いに配慮するというよりは、自分たちが出したいものを、自分たちの出したいかたちで一方的に出すというのが、日本のおもてなしのベースになっているように思えます。

居場所を生む「おもてなし」

2005年の愛知万博のとき、「一市町村一国」というかたちで、ひとつの地域がひとつの国をもてなす事業がありました。しかし、万博が終わって外国人が去った瞬間に、関係性が途切れてしまった地域があるようです。そこでは、イベントをこえた個人と個人の関係は生まれませんでした。

形式的なおもてなしは、その場かぎりで終わってしまう期間限定のものになりがちです。それは、かえっておたがいの距離を開いてしまう冷たい行為といえるかもしれません。

本来、おもてなしは、しかたなくやらなければならない義務でもなければ、一方的に押しつけるものでもないはずです。個人と個人がたがいに歩み寄り、相手を思いやりながら交流することなのではないでしょうか。

2002年のサッカー・日韓ワールドカップのとき、大分県中津江村《なかつえむら》（現在、日田市《ひたし》に編入）はカメルーン代表をあたたかく迎え入れて話題となりました。村民と選手たちとの交流は、いまもなおつづいているそうです。形式的なおもてなしではなく、家族や友だちのような双方向のコミュニケーションが、交流を持続させているのでしょう。

私は、人類が新型コロナウイルス感染症を克服し、またかつてのように国際的な行事を楽しめる日がくることを願っています。世界中の方々を日本へ招き、「またここにきたい」「ここは自分の居場所なんだ」と感じてもらえるよう、心からもてなしたいと思っています。

そして、この世界をともに生きるよろこびを分かちあいたいのです。

4章

花見

暗くて桜、
見えへんやん！

花より団子

毎年、春がくると、学長として新入生への祝辞を述べてきました。そこでは必ず、季節についてふれるようにしています。私自身はそれほど季節の変化を意識していないのですが、日本では4月になれば、誰もが自然と気分を一新し、新たな一年のはじまりを祝うのが一般的だからです。この気分は、桜によって高められているようです。

来日した当初、日本の「花見」は私にとって得体の知れない文化でした。なぜ、わざわざ花なんかを見にいかなければならないのか。日本人が花見にかけるエネルギーは尋常ではありません。

マリには四季がありません。ですから、毎年決まった時期に花を見にいく発想が、そもそもないのです。

日本人にとって四季は、ごくあたりまえのことなのでしょう。たとえば、日本人にマリには冬がないことを説明したそばから、どういうわけか、「ところで、マリの冬の気温って何度くらいなんですか？」と質問をされることがあるほどです。

雨季のマリ

乾季のマリ

日本人の知人と京都の鴨川《かもがわ》沿いではじめて花見をすることになったとき、それが何のための場で、私はそこで何をすべきなのかと、大いにとまどいました。日本では何ごとにつけても作法というものがありますから、花見の作法はいったいどんなものなのか、花をほめたたえるのか、花言葉を覚えて披露しあうパーティーなのか、ひとりでなやんだものでした。

いよいよ当日の朝、「買い出しにいかなきゃ！」「ブルーシートをもっていけ！」などと、メンバーの全員がやたらといそがしそうにしている理由がわからず、困惑するばかりでした。花と飲食物とブルーシートとが、私のなかでまったく結びつかなかったのです。

事前の準備を見ているだけでも、どうしてここまで細かく役割を分担し、徹底的に準備するのだろうかとおどろかされます。とくに、場所とり係の人がブルーシートの上でこごえながら孤独に過ごしている姿を見ると、何ともいえない気持ちになります。日本人は花見という目的が設定されると、全員が一丸となって、全力で協力しあうようです。

さて、このように朝から全力で準備をしたのに、花見そのものは夕方にならないとはじまらなかったのも、ふしぎでした。

いや、暗くて桜、見えへんやん……！

花を見なければいけない会だと思っていた私は、必死に花の写真を撮ろうとしたのですが、ぜんぜんきれいに撮ることができませんでした。

しかし、ほかの参加者は花が見えないことなどまったく気にもしていない様子でお酒を楽しんでおり、そもそも、最初から花を見ようとすら思っていないようでした。このときはじめて、私は、「花見」とは「飲み会」のことなのか、と思いいたったのです。

何度も参加するなかで、花見とは、それ自体が目的なのではなく、コミュニケーションの場であることがよくわかりました。

花見だと言って誘えばたいていの人は断らないこともわかってきて、私自身も気がねなく花見を企画するようになりました。春が訪れるたびに、さまざまなグループと何度も花見をするようになり、いまでは花見に必要なあらゆる道具が自宅にそろっているほどです。

その勢いにのって、京都のお盆の風物詩「五山送り火《ござんのおくりび》」にあわせてパーティーを企画し、鴨川でピクニックをしようとしたことがありました。

ところが、予想に反して近所の知人はのり気でなく、「サコさん……。送り火はお盆に帰ってくるご先祖さまの魂を送り出す行事でね、パーティーじゃないんだよ……」と注意されてしまいました。

すみません……。

以来、日本の行事や祭りのすべてがパーティーではないということを、肝に銘じています。

花見という
パーティーの場。

人間関係の壁を崩す花見

花見は、年度が替わるタイミングに毎年催され、人間関係をリセットする機会ともなっています。ふだんはあまり話さない相手とも親しく語りあえるコミュニケーションの場なのです。日本人は一年に一度、桜の下で人間関係を再確認しています。

日本の宴会は、いくつかの儀式をへてはじまります。あいさつをする人や乾杯の音頭をとる人は、組織の序列をふまえてあらかじめ手配されています。儀式のプロセスは非常に長く、参加者全員がおいしそうな料理をまえにして、あいさつが終わるのをじっと待っていなければなりません。

しかし、乾杯が終わってからある程度時間がたつと、状況は一変します。あらゆる人間関係の「壁」が崩れていくのです。たとえば、それまでほとんど話したことのなかった人から、「おい～、サコ～、おまえ～」と急に親しげに話しかけられました。

この人、ふだんはめっちゃ静かなのに、急にどうしたん……？

また、別の酔っ払った人からは「サコ〜、えらい黒いね〜、ハハハ」と声をかけられました。その空間は、乾杯まえとはうって変わって、別世界でした。

日本のいろいろな場で、宴会をとおしてつくられるこのようなコミュニケーションを経験してきました。私が一番おどろいたのは、人間関係の壁が崩れることを全員が容認し、しかも、多少失礼な発言があっても、その人の評価は下がらないことです。また、花見の席では「サコ〜」と親しく接してくれた人たちが、翌日にはふだんどおりのよそよそしい距離感を保ったおとなしい人に戻ってしまうことにもおどろきました。

マリで生まれ育った私には、桜の開花のような自然現象が、季節の移ろいのなかでコミュニケーションのきっかけを生み出すという発想はありませんでした。花見の文化は、組織のなかのこり固まった壁を一時的にとり払い、人間関係を再確認する場を周期的に生み出す機能をもっているようです。花見によって、日本人は見ちがえるほど開放的になります。

私は花見のなかで、四季というものがどれほど日本人の精神やふるまいに大きな影響をおよぼしているのかをまのあたりにしました。

マリの自然観

マリの集落では、中央の広場にある大樹の下に集まって、しばしば祭りがおこなわれます。あまり花に注目することはありませんが、木の存在が大きな意味をもっているのです。祭り以外のときにも人びとがつどい、出店が並ぶこともあります。さまざまな人が日常的に、入れ替わり、立ち替わりで木のまわりに集まるのです。

マリにはむかしから、アニミズム（あらゆる事物に霊的な存在が宿っているとする世界観）的に自然をあがめる信仰が多く存在しています。個人ではなく村や社会全体で、「恵みの雨」といった自然現象を享受する感覚が共有されています。

たとえば、葉っぱの色が変わったり、木に花が咲いたりしたとき、それを個人の感性で祝うのではなく、神様が村や社会全体に送るメッセージだと受け止めることが多いように思います。

マリのセグというまちには、ふしぎな樹木が生えています。学術的には「シロアカシア」（*Faidherbia albida*）のことなのですが、現地では「バランザン」（Balanzan）と呼ばれています。バランザンがほかの樹木と異なるのは、雨季になると落葉し、枯れているようにみえるのに、乾季になると緑にあふれ、生き生きとした姿をみせることです。

バランザンにまつわるエピソードは、セグのさまざまな伝説や説話、伝承、また、語り部の歌にもひんぱんに登場します。かつてのセグの王様の物語にも、さまざまな場面で、奇跡をもたらす植物として登場します。同じように、マリのドゴン族の世界観では、バオバブの木がそうした存在としてあつかわれています。

こうしてみると、マリ人にも季節の移り変わりを示す自然現象を意識してきた面があるのかもしれません。

バオバブの木の下に集まるドゴン族の人びと

桜にはじまる日本の一年

マリと日本の決定的なちがいは気候と季節そのものです。マリには二季しかないのに対し、日本には四季があり、しかもそれが自然現象として目に見えるかたちで表れます。また、日本では季節と一年間の行事とが密接につながっており、それも自然との付きあい方や自然への意識に影響をおよぼしています。

日本では「春」＝「一年のはじまり」と考えられていますが、マリ出身の私からするとふしぎな感じがします。というのも、マリの学校は9月か10月にはじまるため、私のなかでは「一年のはじまり」というと、9月か10月だからです。

また、マリの9月は雨季が終わる時期で、10月は新しい穀物がとれる時期です。自然の恵みをいただくこの時期には、さまざまな祭りがおこなわれます。収穫が終わり、「これから一年を楽しむぞ！」というタイミングで一年がはじまるのです。そのかわり、9月まではひたすら働かなければならず、どちらかというと楽しいイメージではありません。

しかし、日本の場合は、これから耕したり、田植えをしたりする時期が一年のはじまりとなっています。マリでは一年が収穫祭からはじまる一方で、日本では耕すところからはじまることを考えると、一年のサイクルは人びとの自然観や社会基盤と密接につながっていることがわかります。

新型コロナウイルス感染症の影響で、日本での9月入学がさかんに検討されてきました。しかし、そうなってしまったらおそらく、多くの日本人はかなりの違和感を覚えるのではないでしょうか。

たしかに大学などの教育機関が、国外のさまざまな学校との共同教育プログラムを充実させるために、4月以外の入学時期を設定することは必要でしょう。

しかし、文化的な背景も考慮しながら、「年度」を季節と自然の流れにあわせることも重要です。日本人は、季節ごとに生え変わる草花をモチーフにしてコミュニケーションをとってきましたし、春に「新しい」というイメージをもち、心機一転しようとしてきました。

私は、「新しいことに挑戦する勇気」や「やりなおせる感覚」が集約される桜の季節が、これからも一年のはじまりでありつづけてくれることを願ってやみません。

5章

マナー

まわり
見えてない
行列やな

ルールを守る日本人

日本人の規律の正しさや、マナーのよさは国外でも評判です。

とくに、どんなに長い行列でも、決して割り込みをしないことにはおどろかされます。テーマパークのアトラクションに1、2時間並ぶことなどあたりまえで、日本人の忍耐力には驚嘆します。日本人にとって行列は、みな平等に守らなければならない義務です。お年寄りだろうと、妊婦さんだろうと、よほどのことがないかぎり、すべての人が順番を守らねばなりません。

しかし、日本人が陰でルールを破っているのをはじめて見たとき、非常にショックを受けました。

日本にきて最初におどろくのは、道にゴミが捨てられておらず、非常にきれいだということです。ところが、人目のつかない場所では、車からゴミを投げ捨てる人をよく見かけます。自分に対して厳しいマナーを課しているというよりは、他人との関係のなかでしかたなくルールを守っているようにもみえるのです。

マリ社会の重層的マナー

日本のなかではマナーがある程度一元化されているのに対して、マリのマナーは重層化しているといわれています。フランスから輸入されたマナー、民族のマナー、地域のマナーなどが、併存しているのです。話される言語によっても、微妙に異なる場合があります。

たとえば、ごちそうになったとき、ある文化のなかではゲップをすることが「よくいただいた」というメッセージになるのですが、フランス的なマナーではNGとされています。そういう意味では、やたらと神経を使います。

ただし、もちろんマリ社会にも共有されているマナーはあります。よその家で出された食べ物や飲み物をいただかないことは失礼にあたります。そのほか、すれちがえば必ずあいさつをしますし、お年寄りが重い荷物をもっていれば、かわりに運びます。また、列に並ぶとき、お年寄りや地位の高い人がいれば、優先します。

無限ループする車内アナウンス

私の2人の息子は、妻が中国に駐在していた都合で、長らく北京のフランス人学校に通っていました。日本に帰国後、次男は地元の小学校、長男は「帰国生徒教育学級」のある中学校に通うことになりました。のちに、次男も同じ中学校に進みました。

その中学校では、帰国したからといって日本に染まりきるのではなく、国外で身につけた特長を活かしながら、言語や文化の壁を乗りこえて徐々に日本にランディングしていくことが重視されていました。

学級の年間行事に、生徒が日本に帰ってきて感じたことをスピーチするイベントがありました。ある生徒が日本のマナーについて語っていたのがとても印象的で、よく覚えています。その生徒は、日本の電車のなかで、乗車マナーのアナウンスが何度もくりかえし流されることに疑問をもったのだそうです。わざわざアナウンスしなければ、日本人はみずから進んで気配りのある行動を起こせないものなのか、と語っていました。

たしかに、日本で電車に乗ると、「お年寄りや体の不自由な方、妊娠中や乳幼児をお連れの方がいらっしゃいましたら、席をおゆずりください」「携帯電話の電源はお切りいただくか、マナーモードにお切り替えください」など、絶えずこれをしなさい、あれをしなさいと指示されます。アナウンスだけでなく、優先席マークや注意書きなどで車内がうめつくされてもいます。

　ほかの生徒は、日本人の行列についての疑問を語っていました。ある日、電車のきっぷ売り場の行列におばあさんがやってきたとき、明らかに大変そうなのに、列に並んでいる人は誰ひとりとして順番を先にしてあげたり、手助けしてあげたりしなかったそうです。その生徒がかつて住んでいた国だったら、誰かがすぐにおばあさんを連れて先にとおしてあげようとするだろうに、と語っていました。

　しかし、日本では、先に並んでいる人には絶対的な優先権があると信じられています。スーパーのレジの列でも、お年寄りがきたからといって順番をゆずる場面を見たことがありません。また、優先席ではない通常の座席に座っている人のほとんどが、ひたすらうつむいて、目のまえのお年寄りや妊婦さん、体の不自由な方を見ようとしません。明らかに目のまえの方々が大変そうであるにもかかわらずです。こういった日本人の習慣に、困惑する外国人は少なくありません。

〜マナーモードにお切り替えください〜
マナーモードにお切り替えください〜ん…

たしかに日本人は、決められたルールに忠実ではありますが、裏を返せば、指示されなければ行動に移せないともいえます。また、どのような状況でも、自分の権利をゆずりたがらないことが多いように思います。

ルールへの盲信

ある日、新幹線に乗っていたときのことです。ななめまえの4人組が席を向かいあわせにして座り、ビールを飲んでいました。お酒の酔いもあってか、かなりさわがしくしていました。私はイヤホンで音楽を聴きながら、ひと眠りすることにしました。

ところがです。しばらくすると誰かが私を起こしにきました。顔を上げると、それは車掌さんです。「イヤホンの音がもれているので、ほかのお客様の迷惑になっています」と注意されました。

私は思わず目を丸くして、4人組のほうを見つめました――

あっちは、ええの!?

車掌さんが去ったあとも、4人組のさわぎ声は、車内にこだましていました。もちろん、私がイヤホンから音をもらしていたことは、大いに反省すべきです。しかし、私よりも大きな音を出している人がすぐそばにいるのに、そちらは注意されないことが、理解できませんでした。

また、飛行機の荷物棚をめぐって、日本人がトラブルを起こす姿も目にします。キャビンアテンダントはたいてい、「あいている棚をご利用ください」とアナウンスします。つまり、あいているならばどの棚に荷物を入れてもよいはずなのです。ところが、自分の座席の真上の荷物棚は自分のものだと考え、ひとり占めすることに尋常でないこだわりをみせる人を見かけます。

自分の席の上の棚に他人の荷物が入っていると、「誰が入れたんだ!」と怒り出す人さえいます。そして、たいていキャビンアテンダントを呼びつけて、文句を言い出します。

しかし、座席の真上の棚を占有できる決まりなどないため、キャビンアテンダントは困ってしまいます。「ビジネスクラスの棚があいているようですので、お客さまのお荷物はそちらであずからせていただきますね……」などと、対応するしかありません。無事、別の場所に荷物を置けることになっても、「なぜ私のところに他人の荷物が……！」と、フライト中もしばらくぶつぶつと怒っています。

他人の目

多くの日本人はルールへの執着が強すぎ、また、状況に応じて柔軟に交渉《ネゴシエート》することが苦手なのかもしれません。

私は、コミュニティのなかで共生するためには、とくに空間の利用をめぐるネゴシエーションが欠かせないと考えています。そのためには、言語化・指標化されていない状況を適切に把握し、自分自身で判断し、行動しなければなりません。

日本人はパターン化された「空気」を読む力には、群を抜いていたけています。ただ、その「空気」に身を任せることがほとんどのため、その場その場で起きている個別の状況へ柔軟に対応する経験は積めていないのかもしれません。

マナーとは、そもそも他者への気づかいや共生の作法のはずです。しかし日本では、マナーの出発点が、「他人の目」や「空気」となっています。日本のルール至上主義は、人間としての感覚を麻痺《まひ》させてしまっているようにすら思えます。

また、マナーは、習慣にもとづいて身体化される礼儀・作法です。本来は車内アナウンスでリマインドする必要はないはずです。毎日乗る電車で、毎日アナウンスする必要があるということは、日本人のなかでマナーが身体化されていないことを物語っています。それどころか、絶えずアナウンスがくりかえされるあまり、ただのBGMと化してしまい、かえって誰の耳にも届かなくなってしまっていることも否定できないでしょう。

もちろん、アナウンスが効果を発揮するシーンも、たまにはあります。車内でルール違反をしている人がいるときにアナウンスが流れると、まわりの人はそれをきっかけにその人へ視線を送り、無言の圧力をかけるのです。すると、ルール違反をしている人も「他人の目」には弱いものですから、きちんとルールを守り出すことがあります。しかし、行動原理が自分の内部ではなく、外部にあることに変わりはありませんので、その場しのぎの効果しかないのですが。

「大人が口をはさむ問題ではありません」

息子が北京から日本に戻ってきたとき、日本の文化に慣れていないせいで、さまざまなトラブルが起きました。

息子が通っていた中学校では、買い食いが厳しく禁止されていました。しかし、ある日の下校中に、先輩が買い食いしているところを目撃したそうです。息子が、「え？〇〇くん、買い食いしてるや〜ん！」と、先輩に向かって言ったところ、相手を激怒させてしまいました。学校に告げ口されると思ったのでしょうか。

おそらく、上下関係を重んじる日本の文化をふまえると、見て見ぬふりをするのが賢明だったのでしょう。先輩の少年は「それが先輩に対する口のきき方か！」と、息子の首を絞めたり、なぐりかかったりしたそうです。近くにいた駅員さんが止めてくれたことで、なんとか事態は収まりました。息子はそのまま家に帰ってきて、何食わぬ顔でゲームをしていましたから、その時点では、私は何も知りませんでした。

しかし、駅員さんまで巻き込む大ごとになったため、学校に通報が入ったようです。

その夕方のうちに学校から電話がかかってきて、翌日学校にくるよう求められました。

私は、子ども同士の問題なのにめんどうくさいなあ、と思いながらも、翌日学校へいきました。まずは校長先生が出てきて、あれこれ長々と、うやうやしく経緯を説明されました。要は向こうの親御さんが謝りたいと言っているから会ってもらえるかということだったので、「まあ、いいですけど」と了解しました。

その親子は、深々と格式ばったお辞儀をし、このたびはどうのこうのと、非常に丁寧に謝ってきました。私はもうたえきれず、その子に向かって言いました。

「この状況、おかしいんじゃないの？」

大人たちは、え？　どういうこと？　という様子で、とまどいはじめました。

「あなたがなぐったのは、私の息子の口のきき方が悪かったからですよね。でも、彼は日本に帰ってきたばかりで、先輩・後輩という文化を知らない。どうやってふるまうべきかもわからない。

あなたは息子の先輩ですよね。だったら、先輩との接し方や口のきき方を彼に教えるのは、あなたの義務のはずです。あなたが彼に教えてあげないとわからないのです。これからは、あなたが先輩として、ちゃんと教えてあげてください。これは、われわれ大人が口をはさむ問題ではありません。息子の教育はあなたに任せます。

ありがとう。では、私は帰ります」

そう言って、私はさっさと家に帰りました。

私に会うまえ、その子は規則にのっとって反省文を書かされたことでしょう。そして、大人が用意した型どおりに、丁寧な謝罪をしてくれました。しかし、ルールを押しつけたり、かたちだけの反省をさせたりしたところで、本質的には何も解決しないのではないでしょうか。

子どもたち自身に考えさせることこそ必要なのです。きちんと冷静かつ柔軟に考えることができていれば、発作的にカッとなぐってしまうのではなく、そういえばこいつ、帰国生徒だから口のきき方とか知らねえよな、という状況把握ができたはずです。そもそも私の息子には、その先輩を非難する気などまったくありませんでした。買い食いをしてはいけないとさんざん指導されていたのにもかかわらず、買い食いしている人をはじめて目撃して、ダメだって教えられたのになんで⁉　しかも、自分より長く教育を受けている先輩が⁉　と、純粋に混乱していただけなのでした。

マリでは、子ども同士のあいだでルールを共有している場合が多いです。年上の子が年下にルールを教えていき、下の子は気軽に上の子に頼ることができます。両者のあいだでは、からかいあうことも許されています。日本の部活のように、先輩がつねに厳しい顔をして威厳を示さなければならないということはありません。

マリでは、大人はいちいち子どもの問題に干渉しません。年上の子どもたちが弱い子どもを必ず守る姿勢をもっているため、いじめに発展しにくいのです。

もし、自分たちだけではどうしても解決できない子ども同士の問題があっても、両方の親が出てくるのではなく、どちらか一方の親だけが出てきて、2人のあいだをとりもちます。そして、そのあとで、もう一方の子どもの親に報告するという解決のしかたがよくみられます。

日本では、子ども同士で学びあえばすむような話も、いちいち学校を経由します。しかし、そうするとルールだけが増加・定着していって、子どもが自分で考えたり、本当の意味でのマナーを身につけたりする機会が奪われてしまいます。

共生社会のマナー

日本では、他人の目がないとルールがなかなか機能しません。そのため、ルールを守ることそのものが目的化してしまい、誰も見ていないところではルールを破ってもかまわないという思考が根づいてしまうのです。

ルールに依存しすぎると、相手のことを想像したり、状況を的確にとらえたり、責任をもって行動したりする能力が育ちません。一人ひとりの思考の余地がなくなり、クリエイティビティもそこなわれます。先に座った者には権利があると考えて座席をゆずらないことや、行列の順番を柔軟に変更できないことも、そういったことからきているように思います。

「ルールだから」と受け身になって思考停止するのではなく、「いまはこういう状況だからこうする」と主体的に判断し、臨機応変に行動するしなやかさが必要です。それこそが、共生社会のマナーなのだと思います。

6章

観光地

この場所、矛盾だらけやで

有名観光地の住人

ある朝、京都・八坂《やさか》の塔の近くで民家を改装したカフェを見つけ、コーヒーを味わっていたときのことです。はじめてのマリ人客だったらしく、店のご主人に写真を撮らせてほしいと頼まれました。

八坂神社や清水寺《きよみずでら》など、有名な寺社が多い地区だけあって、外国人客も多く訪れるようです。インスタ映えしそうな商品も充実していました。店の壁には大きな世界地図がかけられ、フランス、レバノン、モーリシャス、ジャマイカ、ブラジルなど、さまざまな国からきた客の出身地に、たくさんのピンが刺されていました。

ご主人は、この民家で生まれ育ったそうです。大人になってからは、長年東京で暮らしていたそうですが、最近京都に戻ってカフェを開業したのでした。1階を店舗に改装し、2階は住まいとして使用しているようです。

産寧坂《さんねいざか》（三年坂《さんねんざか》）と呼ばれるこの観光地区でも、むかしは地元の子どもたちが遊びまわっていたそうです。しかし、いまでは近所の子どもが遊ぶ姿などまったく見かけませ

京都・産寧坂

ん。近所のお寺や神社も、かつてはふらっと入って走りまわれる遊び場だったのに、いまでは拝観料を払わされるようになってしまった、と彼はなげいていました。

生まれ育った家が売りに出されて、よその人が経営するおみやげ屋さんになることも多く、友だちも家族ごといなくなってしまったそうです。コミュニティとしての生活感はどんどん失われていっています。彼は、産寧坂が観光地化していくことを、あまりよく思ってはいないようでした。

しかし、正直にいうと、話を聞きながら私はこう思ったのです——

えっ？
自分もやってることといっしょやん。
観光客相手の商売ちゃうん？

文化の商品化

京都は文化を商品化することにたけています。それこそ、私が京都に感心させられる点のひとつです。

マリでは、古い文化を継承しながら商品化するということはなかなかできません。マリの場合、過去の文化は一掃されて、国外から輸入された新しい文化に置き換わってしまいます。都市部では古いものが消えつづけ、村落などに古いものが残っていたとしても、新しい文化とは交わらず、凍結保存されていることがほとんどです。

しかし、京都の文化は生きた感じがします。芯は維持したまま、外面《そとづら》だけを時代にあわせることが非常にうまいのです。相手の期待に応えようと、めちゃくちゃフレキシブルに期待される役割を演じます。危機的な状況にある文化も、表面を変えて存続させる工夫に満ちています。

たとえば、お坊さんまでもが柔軟に変わっています。シンガーとして活躍するお坊さんがいたり、イケメンお坊さんがアイドル的な役割をはたしていたり、お寺がイベント会場を有料で貸したりします。ふだんお寺にいかない人が関心をもつきっかけにもなり、維持・継承にひと役買うのでしょう。私も京都のお寺でマリ人のコンサートを企画したことがあります。そのさい、あまりにもビジネスライクな料金プランを提示されたのには、さすがにおどろきましたが。

文化をうまく活用する京都をみていると、文化の商品化に関してマリが遅れていることを思い知らされます。マリにも、古い文化があるのですが、その売り方がぜんぜんうまくないのです。

京都の身のふり方をみていると、「文化にはここまで商品価値があるのか！」と感心します。ただ、そこまで観光客にあわせる必要はないのでは、と思うこともあります。たとえば、商品パッケージです。観光客の目を引こうと、明らかに地元の人は買わないような、奇をてらったデザインの商品が大量に陳列されていたりします。やりすぎているものを見ると、「そこまでしたらあかんやんか……」とツッコミたくなります。

矛盾する観光地

産寧坂は、京都市に4カ所ある重要伝統的建造物群保存地区のひとつです（ほかには上賀茂《かみがも》、祇園新橋《ぎおんしんばし》、嵯峨鳥居本《さがとりいもと》が選定されています）。この制度にはさまざまな制約やガイドラインがあり、選定されると修理も気軽にはできません。

この場所のポテンシャルを最大限に引き出そうとしたら、観光地化するしかないのでしょう。民家を買いとった新しい所有者は、自分は現地に住まず、どこか遠くに住んだまま、おみやげ屋さんなどを経営します。

そうなってしまうと、「もう、ふつうに住めへんわ」となってしまうのは、必然なのかもしれません。産寧坂は、観光客に地域をゆずる道を選ぶしかありませんでした。

先のカフェのご主人のように、自分が観光地化に加担していることは棚に上げつつ、不満をもらすのは矛盾していますが、それはそれで本音なのだとも思います。

日本人は、みずから率先して決断することを避ける一方で、他人に指示されたら過剰に推し進める傾向があります。日本にきてから、「頼まれたから」「相手がそう期待していると思ったから」という理由で、納得していないことを実行する人をたくさんみてきました。

観光についても同じです。政府が「クールジャパン！」などと観光政策をかかげれば、サービス精神が旺盛な日本の観光地では、いろいろな店が「こんなんせなっ！　あんなんせなっ！」と神経を使いはじめます。もはや強迫観念にかられているようにもみえます。

しかし、本音はちがうのです。日本政府が推進してきたインバウンド政策（訪日外国人観光客を増やす政策）によってオーバーツーリズム（観光公害）が問題化したさい、不満の声は絶えませんでした。カフェのご主人も、かつての共同体が失われてしまったことを、心から悲しんでいるようでした。全体の空気を読んで観光事業に加担していたとしても、内心では納得などしていません。

日本の観光地は、保存―活用、生活―観光、本音―建前といった矛盾が凝縮された土地なのです。

そして、観光地に蓄積するひずみは、さまざまな摩擦を起こします。マナーを守らない外国人がいたら、「なんか外国人ってマナーわるない？」「食事のルールを知らへん」「ゴミの出し方が徹底してへんね」と陰口を言います。

そんなら、マナーがわかるように注意したらええやん！

飲食店で店員さんに、短パンでも問題ないかたずねてみても、「かまへん」と言われるだけです。しかし、いざ店に入ってみると、明らかに短パンはNGな雰囲気がただよっているのです。そして、無言の圧力をかけられ、申し訳ない気持ちにさせられます。ドレスコードにそぐわない客がいたら、お店側も困るはずなのに、たずねても指摘さえしてもらえません。国によっては店の入口で、「短パン・スニーカーではダメですよ」と指摘してもらえます。たとえ高級レストランでなくてもです。

以前、「目のまえの人に注意するくらいだったら、あとでメールや手紙で伝えるほうがいい」という人がいました。「文字に残るほうがひどいやん……」と思うのは、私だけでしょうか。

すべてが空気のなかで漠然と進められてしまうから、議論すべきことが放置されたままになってしまうのです。そして、どうしようもなくなってしまった状況になってからようやく、自分はそれを望んでいなかった、誰々のせいだと責任転嫁するのです。

妄想する観光地

先まわりした心づかいが、相手を無視してしまっていることも問題です。日本の料亭やレストラン、旅館、ホテルなどでは、お客さんをもてなすために先まわりして準備するのが当然のこととされてきました。そして、多少サービスが一方的で、求めていることとずれていたとしても、日本人客は黙って受け入れてきました。

しかし、多くの外国人が、見当外れな先まわりの配慮に困惑しています。たとえば、アメニティや浴衣・パジャマを準備しておくこと、さらに、設備の使い方についてこと細かく英語で説明書きを加えておくことが親切だと思われていますが、想定している客の範囲が限定されすぎていて、それ以外の文化圏の人びとはとまどうばかりです。

私は、旅館のドリンクセットと浴衣に困りました。客室に用意されている日本茶のセットに、茶の種類やいれ方などの説明書きがそえられているのですが、説明が複雑で、かえって混乱してしまいます。また、とある旅館では、大浴場に浴衣を着ていくことはOKですが、朝食会場に着ていくのはダメだと、英語と日本語で書かれていました。しかし、いざ朝食会場にいってみると、多くの日本人が浴衣姿できていました。

グローバル化のなかで観光客も多様化しているのですから、説明書きを詳しくすることに労力をかけるのではなく、客とできるだけ直《じか》にコミュニケーションをとりながら対応してはどうでしょうか。そのほうが、外国の客はよろこぶと思います。私も、そんな対応をしてくれる旅館で、浴衣のサイズ、色、柄などを選ぶのを楽しんできました。

レストランも同様です。最近、英語のメニューが用意されているお店も多いのですが、日本語のメニューと比べると、省略があったり、逆に日本語版にない説明が加わっていたりします。一度、その理由をたずねたところ、「外国の方はこれを嫌がるでしょ?」「この食材に慣れてないでしょ?」などと答えられました。

いや、それ、どこで誰に聞いたんや……。

根拠のない思い込みによって、英語のメニューをつくっているケースもあるようなのです。

注文を受けるさいに、相手の様子や反応をみながら説明をするほうが、多様な国のお客さんの要望に対応できるはずです。もちろん、旅館やレストランなどの気持ちもわからないではありませんが、実態のない空気を読んで、直のコミュニケーションを避けるのでは、すれちがいが生まれるだけです。

京都の新しい旅館には、直のコミュニケーションを大切にしているところがあり、外国のお客さんに好評だと支配人から聞きました。さらに、地域のハブ（中核）となって住民と観光客の交流をうながすなど、地域とのコミュニケーションのしかたも工夫しており、「コミュニティ旅館」とも呼ばれているぐらいです。

陰で努力をしても、相手にはなかなか伝わりません。隠されている部分は外から知りようがないですし、そもそも望まれていないことも多々あるのです。にもかかわらず、「外国人のためにこんなに努力して準備したのに、あいつらにはぜんぜん伝わらない」という日本人の不満をよく耳にします。「先まわり」といえば聞こえはいいですが、実際はほとんどが、想像に想像を重ねた非現実的なシミュレーション、つまり「妄想」になってしまっているのです。

顔の見えるまち

京都のなかには、地域が自力でまちを守ろうとする動きもあります。「姉小路界隈《あねやこうじかいわい》を考える会」を組織する住民たちは、自主的に地域のルールをつくっています。姉小路は、人通りの多い三条通と御池《おいけ》通にはさまれた好立地にもかかわらず、カラオケも、キャバレーも、パチンコ屋・マージャン屋も、そしてコンビニの営業までもが禁止されています。ほかにも、建物の高さが制限されていたり、所有者の居住がともなわないワンルームマンションの建設が禁止されていたりします。

きっかけはマンション建て替えへの反対運動でした。地域住民側とマンション側とが、じっくりとコミュニケーションをとる場が生まれ、共同体の維持という共通の目標を練り上げることに成功したのです。

突然知らない役所の人がやってきて、「これはダメです、あれもダメです」と一方的に制度を押しつけるのとはわけがちがいます。姉小路で生まれたルールは、対話によって生まれたものなのです。

また、姉小路に新しくできたホテルとも、ミーティングを重ねたと聞きます。私もそのホテルを数回訪ねたのですが、構成が工夫されており、まちと調和して溶け込んでいました。

おたがいの顔が見えているからこそ、問題が生じてもすりあわせることができ、不満もしっかりと伝えあうことができるのでしょう。トラブルが起きること自体は問題ではありません。トラブルが起きたときに、本音でのコミュニケーションをとらないことが、問題なのです。

「コミュニティ旅館」や「姉小路界隈を考える会」のように、顔が見え、本音を言いあえる場を育てていくことこそ、観光地としての魅力を保ちながら、活発なコミュニティを維持していける道なのではないでしょうか。

産寧坂のカフェのご主人は、観光地化によって地域のコミュニティが失われていくことに不満をもらしていましたが、観光客を嫌っているわけではありません。むしろ、積極的に世界とつながろうとされています。

後日、そのカフェのことを調べてみたところ、SNSも活用しながら、世界中から訪れる人びととの輪をつくっているようでした。「いかにも」なラテアートを出す観光客向けのお店にもみえますが、気さくに話しかけたり、世界とつながろうとされたりしているご主人からは、対話を通じて観光地ならではのコミュニティをつくっていこうとする姿勢を感じます。

彼はきっと、その場かぎりの一時滞在者ではなく、まちとつながりつづけてくれる観光者を求めているのでしょう。私がお店にいたのはほんのわずかな時間でしたが、自己紹介をしあったり、趣味の話を共有したり（同じ銘柄のコーヒーが好きで、盛り上がりました）、地元のなやみを聞かせてくれたりと、とても親しく接してくれました。

京都にかぎらず、日本各地の観光地は、先の見えない時代のなかでさまざまなジレンマをかかえていることと思います。しかしそのなかでも、顔の見える関係性を大切にされている方々を見かけるたびに、私は希望を感じています。

7章

外人

マリにハロウィン、ないねんけど

日本人の外人像

とある小学校のイベントで、子どもたちがハロウィンの伝説を紹介する劇が上演されることになり、私を含む5、6人の外国人がゲストとして招かれたことがありました。そして当日、私たちは自国のハロウィンの過ごし方について語るよう、求められました。

マリにハロウィン文化なんかないねんけど、どないしよう……。

残念ながら、当時、私たちの出身国ではどこもハロウィンを祝う習慣がなく、子どもたちに話せることなど何もありませんでした。私たちは、先生たちが外国人にいだいていた期待に応えられなかったのです。

HALLOWEEN

そもそも、私がハロウィンの存在を知ったのは、中国に留学してからのことでした。むしろ、子どもたちの劇から勉強させていただいたくらいです。

来日して以来、似たようなことはひんぱんに起こりました。

たとえば、私の出身がアフリカのマリだとわかったとたんに動物の話題になり、

「ライオンを遠くから見ているから、視力がいいでしょ?」

「家のまわりには、どんな動物がいますか?」

「動物が大好きだから、あなたに会えてうれしいです!」

などと言われました。

そして、みなさんが話題にされるような動物たちを私がはじめて見たのは、中国や日本、ヨーロッパの動物園なのだと説明すると、がっかりした顔をされます。「本当にアフリカ出身なんですか?」と疑われることさえありました。

外国人に対して期待されることのひとつに、「日本語が話せない」というものもあります。いまでも京都で経験するのですが、ちゃんとした日本語で道をたずねているのに、「英語はわからへん」と返されるのです。

私は、2002年に日本の国籍を取得しました。しかし、日本の国際空港で日本人用の入国審査のレーンに並ぶたびに、かなりの強い口調で「ハロー、ノー」と係員に止め

られ、外国人用のレーンへと誘導されます。関西空港、羽田《はねだ》空港、成田《なりた》空港など、メジャーな国際空港であっても、です。

また、日本語であいさつし、日本のパスポートをわたしているにもかかわらず、税関職員に英語で「在留カード（alien card）を出してください」「滞在期間は？」「滞在目的は？」とたずねられることも、めずらしくありません（入国審査は税関職員ではなく、入国審査官の仕事のはずなのに）。そんなとき私はたいてい、「わかりません」（I don't know.）と答えています。

いったん相手を「外人」のカテゴリーに分類してしまうと、もはやこのカテゴリーを対象とする質問しか出てこないのです。

よそ者コンプレックスと排除の歴史

異文化圏に属する他者を一定の「フレーム」に収めることは、古くから存在する行為です。そして、そのフレーム化は、歴史的に差別の構造として機能してきたと考えていいでしょう。

フランツ・ファノン（アルジェリア独立運動で指導的役割をはたしたポストコロニアル理論の先駆者。フランスの海外県マルティニーク島出身）は、その著書『黒い皮膚・白い仮面』（みすず書房、新装版、2020年）のなかで、こうした構造について詳しく説明しています。

ファノンはしばしば、alienation（フランス語だと aliénation）という言葉を使っています。簡単に説明すると、植民地主義のなかで支配される側の人びとには、なんとかして支配する人びとに自分を似せようとする心理が働くということです。

その表れとして、サハラ砂漠以南のアフリカ諸国では皮膚の脱色行為（白人化傾向）が一時期に――いまでもかもしれませんが――流行していました。この行為について、カメルーン出身で現在はパリ在住の心理学者フェルディナン・エゼンベは、次のように述べています。

このような肌の色に対する黒人たちの態度（白人化＝西洋化）は、根深いポストコロニアル的なトラウマに起因しています。白人は、その肌の色によって（富や成功の）象徴となっており、意識されないまま上位のモデルでありつづけています。こうした条件下では、顔が白いということがアフリカ社会の大部分において実際に強力な価値基準となっているとしても、おどろくにはあたりません。しかも、植民地時代の過去が過酷な国々ほど、白い肌が魅力的だとされているのです。

（Ferdinand Ezémbé, 2000, *Couleur de peau et négritude*〈肌の色とネグリチュード〔黒人性〕〉, Afrik.com 訳は筆者。〔　〕は筆者注）

一方、文学研究者で批評家のエドワード・サイードは、西洋が非西洋を眺めるときに働くフィルターを明らかにしました。先ほどのファノンの話とは逆のベクトル、つまり、支配するものが支配されているものをどうみているかということです。彼は、西洋が非西洋にいだいている期待とあたえている役割のことを「オリエンタリズム」と定義し、これを批判しました。

このように、西洋諸国がアフリカやアジアなどの国々を独自の視点でフレーム化してきた歴史があり、そのイメージの一部はいまだに消えていません。日本を訪れる観光客が、オリエンタリズムによって植えつけられたイメージをいだいてきていることは、少なくありません。

とはいえ、日本で外国人が経験するさまざまなフレーム化もまた、オリエンタリズムと同じ構造によるのではないかと思います。

日本にきたばかりのころ、一部の日本人の外見と行動におどろいたことがありました。そのひとつが、肌の色を黒くする「ガングロ・ファッション」の流行です。最初に見たときは、何か深い理由があってやっているのかと思いました。いろいろとたずねてみると、それほどの哲学があるわけでもなく、単に「かっこいいから」「服装が好みだから」「南国風だから」など表面的な理由で、それ自体が社会的に問題になることについては心配していない様子でした。しかしそこには、日本人が黒人に対していだいているイメージ（先入観）が、ありありと表れていました。

「アフロ・ヘアー」も一時期流行したように思います。その背景に、どんな社会的ムーブメントがあったのかはほとんど吟味されないまま、外見だけが流行していることにおどろかされました。

外人枠を破る

言語の問題で困ったのが、「カタカナ」の外来語です。

京都大学にきたばかりのころ、私が女性の友人と歩いていたり、食事していたりすると、「アベックですか?」と聞かれました。フランス語の「アベック」(avec)をふまえると、「いっしょですか?」以上の意味はないので、「はい、アベックです」と答えていました。まさか、日本ではアベックに「恋人」という意味があろうとは、思ってもいませんでした。

カタカナを使った外来語の使い方をほとんど理解していないため、「外人なのにわからないの?」と言われることもあります。

しかし、フランス語が話せるからといって、それを公用語とするフランス、ベルギー、マリなど、さまざまな国の文化がすべてわかるとはかぎらず、英語が話せるからといって、イギリス、オーストラリア、アメリカなどの文化のすべてがわかるとはかぎりません。同じ言語圏でも、それぞれの地域が異なる歴史や文化をもっているのです。ましてや、「アベック」=「恋人」といった日本独自の意味については、知っているはずがありませんでした。

日本は、歴史や文化によって人や物事をカテゴライズしてきた面が強いと感じます。「日本人ではない」=「外人枠」と、ひとくくりにするのです。フレームの内と外にいる人間同士の立場が重ならないように壁をつくれば、ナワバリが荒らされる心配はありません。「外人」がそのフレーム内にとどまるかぎりは、その対処法に頭をなやまされずにすみますし、その人が無理にそこから出ず、「期待された役割」を演じているかぎりは、トラブルも起きないだろう、と考えるのです。

日本にきてからというもの、私はこういった囲い込みに疑問をいだき、とまどうことが多々ありました。「留学生」と「日本人学生」、「外人」と「日本人」など、さまざまな線引きがあります。当然、日本語が話せない自分、日本の文化がわからない自分、日本の社会になじめない自分がいるのは事実ですから、「日本人と同じにさせてくれ」と強く言えないのもたしかです。「外人枠」を抜け出さないかぎり、日本の文化や社会への理解は深まらないという思いもあった一方で、型を破ってしまうと、マイノリティとしての「外人優遇」——結構いろんな場面で享受しました——を奪われてしまうかもしれない、という不安もあったのです。

しかし、どうせ苦労するのならと、私は日本社会に入っていく道を選択しました。日本で型破りな外人として生活するためには、さまざまな方面での努力が強いられます。そのなかで心がけたのが、「マリアン・ジャパニーズ」、つまり、マリの文化的アイデンティティをもつ日本の居住者として生きることです。私にとっての「型破り」とは、外国人であるにもかかわらず日本人になりきる、というとっぴなことではありません。日本社会に飛び込むなかで、日本文化とマリ文化を相対化し、両方ともを批判的にとらえることを大切にしてきました。完全な二項対立で優劣をつけるのではなく、それぞれの特徴を多面的につかみとりながら、差異化、あるいは同質化をはかり、活かそうとしてきました。

大学院生のときに所属した研究室でも、就職した京都精華大学でも、お客さんあつかいに甘んじることはありませんでした。まず、できるだけ多くのことを身体化し、日常生活のなかでそれを表現できるように努力をしました。その過程では、周囲の人びとと比べて数倍もの時間を費やさなければなりませんでした。

あまりにもつらくて、「もう外人のままでええやん！」とあきらめそうになる場面もたくさんありましたが、ある段階に達すると、わからないことはまわりから教えてもらえるような関係性ができるようになりました。周囲の人はときに厳しく、ときにあたたかく、接してくれました。学ぶべきことはまだまだ山積みですが、みなさんが私のチャレンジを後押ししてくれたからこそ、いまの自分があります。

ちがいを認めあうこと

最近、さまざまなところで外国人労働者の受け入れにまつわる話題を耳にします。外国人労働者政策の改革によって外国人労働者の増加が予想され、それが社会にどのような影響をおよぼすのかが、さかんに議論されています。

技能実習生や留学生を増やすことばかりに力を注いできた日本政府や各自治体のこれまでの対応をみると、少し不安になることもあります。私は、京都府外国籍府民共生施策懇談会の委員としての活動のなかで、市町村の国際交流協会を視察して、話をうかがってきました。

多くの組織が頭をなやませているのが、在住外国人の地域へのランディングです。現状では、その対処は日本語学習と日本文化研修だけで終わっている場合が多いようです。

当然ながら、語学の教授法は、学習者がどんな文化に属していたかによって異なります。伝統的に外国人を受け入れてきたフランスでの外国人へのフランス語授業について、学習経験者に聞いたところ、文化圏別・職業別に授業や教科書が開発されていて、最初はフランスの文化がわからなくても、問題なくフランス語を話せるようになるそうです。

以前、同じく外国人労働者や移民、難民を多く受け入れてきたドイツを訪れたとき、会話のなかで次のような言葉が引きあいに出されました――「労働力だけがほしかったのに、人間がついてきた」。これは、スイスの作家であるマックス・フリッシュが、移民問題に対して述べた警句です。

日本にやってくる外国人労働者たちには、それまでの信仰、思想、生活様式がありますます。その人たちに対して、従来の教授法のままで日本語や日本文化に慣れることを期待するのは、かえってまわり道になってしまうかもしれません。

「郷に入っては郷に従え」というのもひとつの真理ですが、日本人もかれらに歩み寄って、おたがいの価値観や習慣を認めあい、学びあうことが求められているはずです。そういったかかわりあいのなかからこそ、新しい地域文化が生まれ、新しい共同体が発展するのではないでしょうか。

8章

日本人

朝ごはんから、全体主義？

「ごはんとみそ汁」信仰

長男が保育所に通っていたころ、よく日本流の指導を受けました。たとえば、保育所に着くと毎日、朝食に何を食べさせたかを書かされ、しかられました。
「サコさん、朝ごはんはパンとヨーグルトとバナナじゃダメですよ〜。ごはんとみそ汁を食べさせてください。手間をかけた料理が大切なんです。楽をしてはいけません。つくり方がわかんなかったら指導しますから」

えっ……！ パンじゃダメなんっ？ なんで⁉

ごはんとみそ汁にそこまで重大な役割があるなどとは、思いもよりませんでした。ひとまず素直に応じ、日本人の妻はごはんとみそ汁を朝食に用意するようになりました。しかし本当のところ、私はそれを子どもに食べさせないといけないとは一切感じていませんでした。長男はパンやヨーグルトでもおいしく楽しそうに食べていたのです。なんで私たちが保育所のフレーム（枠組み）にあわせなあかんねん、というのが本音でした。結局、家では私だけが、あいかわらずパンとヨーグルトとバナナを食べつづけたのです。長男は横でうらやましそうな顔をしていました。

ほかにも、その保育所では布おむつをはかせる義務がありました。保育所に着いたら、紙おむつをぬがして、布おむつに替えなければなりません。しかし、「紙おむつでええやん。最近の紙おむつって性能ええんちゃうん？」と、ずっと思っていました。

日本の保育所では、なやみが絶えませんでした。

その保育所には、栄養士による「子どもの食べる料理指導」やお泊り保育への参加など、親のためのイベントが年に何回かありました。保育所としては、子育てへの親の意欲をもっと高めなければと考えているようでした。私は、「いそがしいから子どもをあずけてんのに、逆にもっといそがしくなるとはどういうことやねん……」と思いながらも、わりと楽しく参加しました。

国民国家のモノフレーム

私以外の外国出身者も、「日本にいるんだから、日本のやり方で子育てしなさい」と、日本流の子育てを押しつけられることがあったようです。これは「伝統」なのだから従ってください、と。保育所や幼稚園からすれば、家庭内の子育てに介入することは子どもを大切にする行為の一環なのです。

子どもは大人の思いどおりにならないのが世の常。決まりや常識を押しつけたところで、軽やかにその外側へ逃げていきます。そのため、子どもだけではなく、親までもコントロールする必要があると考えているのでしょう。子どもを理想の「日本人」に育てるために、理想の親を育てる必要があるわけです。

こういった一連の管理は、子どもたちへの「日本（化）教育」の入門編にすぎませんでした。小学校に進むと、子どもも少しずつ自立していきます。すると親ではなく、子ども自身をいかにフレームに収めるかが重要になるのです。年齢が上がるにつれて、その強制力は増していきます。

もちろん、マリにも学校のフレームはあります。しかしそれと同時に、地域や家庭にはまた別のフレームがあるのです。学校はフランス的、地域は民族的、そして家庭はさらに別のフレームといった具合です。それぞれ異なるものとして共存し、絶対にオーバーラップしません。だから民族の個性も多様性も維持されるのです。マルチフレームを軸に、子どもがさまざまな次元の教育を受けるのが基本です。

しかし日本では、すべてがひとつのフレームに統一されがちです。厚生労働省の管轄にある保育所や、文部科学省の管轄にある幼稚園・学校のかかげる理想像が、地域にも、家庭にも浸透していくのです。近代国家や国民国家においては、フレームを一本化するほうが効率的で、都合がよかったからでしょうか。

マリと日本の親子の距離感

マリの家庭には子どもがたくさんいることが多く、時間をかけて一人ひとりと向きあっている余裕はあまりありません。家庭によっては一夫多妻なので、なおさらです（マリでは1人の夫に4人までの妻との婚姻が法律上で認められています）。そのためか、子どもの世界には深く介入せず、親と子どもとが適度な距離を置くのが基本です。

子どもが手伝いをするのもあたりまえです。もちろんそれが必ずしもいいとはかぎりませんが、ある程度早くから自分でいろいろなことができるようになります。

日本の場合は、すべてが子どもを中心にまわるということが多いように思います。子どもがいる家庭では、親の時間も、ライフスタイルも、全部子どものために調整されるのです。

たとえば、「むかしはラーメンを食べにいくのが好きだったけど、あなたを育てるためにやめちゃった」と、親が子どもに堂々と告げるのを見たことがあります。

もちろん健康に害がある場合は別ですが、好きなことを子育てしながらつづける方法は、本当にないのでしょうか。もしつづける方法があるのなら、子どもへのプレッシャーは相当減るだろうにと、やるせなくなることが多々あります。

子育てになやみはつきものです。しかし、日本の親が純粋に子どものためになやんでいるのかというと、そうではない場合も多そうです。むしろ、社会がつくりあげた理想像が重圧となっているようにみえます。子どもではなく、社会が親を苦しめているのです。

きっと親も、のびのびと育てたほうがいいことなど、百も承知でしょう。しかし、社会のフレームに収まらない人間に成長したらどうしよう、そのことで世間から非難されたらどうしよう、とちぢこまりながら子育てをしています。そして、少しでもうまくいかないことがあれば、世間から責められてしまうばかりでなく、親は自分で自分を責めてしまうのです。

先ほど、マリの親は子どもと適度な距離を置くといいましたが、最近は例外も増えてきました。新しい富裕層が日本と同じように、子どもをレールにのせようとするようになってきたのです。

私のところには、月に数件というくらいひんぱんに、マリから進学相談の連絡がきます。「子どもを日本に留学させたいが、どうしたらいいか」というものです。そんなとき、私はたいてい、「いやいや、子どもに私の連絡先をわたして、子ども本人から連絡させてください」と告げます。話はそれからです。

「日本（化）教育」ボランティア

京都市には、日本語指導が必要な「外国にルーツをもつ児童生徒」や「海外帰国児童生徒」のために、学校へ日本語指導ボランティアを派遣する制度があります。かつてそのボランティアをしていた知人が、「いま、フィリピン出身の子をみています」「このあいだ、インドネシア出身の子をみていました」と言っていました。

私は、そうか、フィリピンやインドネシアなどから家族できているのかと思いました。しかし、話をよく聞いてみると、お父さんとお母さんのどちらかは日本人で、しかも、その子は生まれも育ちも日本ということが多かったのです。

なんでわざわざ、「フィリピン出身」とか「インドネシア出身」って言うん……？

さらに、学習能力も低いし、学校の授業についていけず、日本の子どもみたいに高校へ進学できる可能性が低いから支援が必要だなどとも言うのです。そして、学校と支援員が連携して、学習指導から生活指導までをおこなうことの大切さを説かれました。

本来、勉強や生活に必要な日本語学習をサポートすることが使命のはずなのに、それ以外の領域にも介入しようとするのです。「将来はどうするの?」「家族とはうまくいっている?」「友だちとはどう?」「アルバイトは?」など、ありとあらゆることに対して、問題があることを前提に口出ししているようでした。

じつは、うちの子どももサポートを提案されたことがあります。私はマリ出身ですが、妻は日本人なのですから、そもそも生活指導の支援など必要ありません。日本語のサポートが必要だったとしても、学校と親が連携して考えるべきであると思っています。

また、知りあいの中国人の娘さんも、このボランティア制度の日本語学習支援を受けたそうです。その娘さんは日本生まれの日本育ちなのに、です。その知人は「うちの子はそこまで支援なんて必要なかったけど、ボランティアの方が必要性をつくり出して……。しかも、家庭のことにまで口を出されて……」と言っていました。

近年、学校の負担が大きくなり、本来学校と家庭が担う部分をボランティアに任せがちになっているそうです。しかし、ボランティアのサービス精神に依存するこういった制度をめぐって、一部で不満がつのってきているようです。

そもそもサポートなど必要とされておらず、ただのおせっかいになってしまっていることもあるのです。場合によっては、支援者のほうが優越感を得たり、自己満足したりするために、「日本人の助けが必要な外国人」を求めていることさえあるのかもしれません。そのため、本当に助けが必要な人とそうでない人の区別ができなくなってしまっているようです。

成長過程とフレーム

長男は自己紹介をするとき、「京都生まれの北京育ちで、フランス人学校に通っていました。親は日本人とマリ人です」などと言います。

彼は4歳半まで京都で過ごしたのですが、妻の仕事の都合で、中学生になるまでは北京のフランス人学校で学びました。

妻は、長男が「北京育ち」という認識をもっていることを知って、かなりおどろいたそうです。はじめてそれを知ったのは、帰国してから数年後のことでした。北京で生活したとはいっても、住んでいたのは日本や欧米の駐在員・外交官ばかりの団地でしたし、妻としては、家庭内は日本だという意識でした。さらに、学校もフランス式でしたから、中国のアイデンティティまでもっていることが意外で、新鮮に感じたそうです。

一方、生後8カ月で日本を離れ、10歳まで北京で育った次男は、帰国後しばらく、長男よりも日本人化する傾向が強かったように思います。時間をきっちり守り、宿題も忘れず、いわゆる理想の日本人像にがんばって自分を近づけようとしているようにみえました。

北京のフランス人学校には京都にあこがれをもつ人が多く、「京都出身」は一種のステータスでした。彼も日本人という一面を、誇りに思っていたことでしょう。

しかし帰国後、日本の小学校では「外人」としてあつかわれました。人生のほとんどを北京で過ごしてきた次男が、日本のフレームを身につけているはずもありません。自分の認識と周囲の認識とのズレからくるとまどいが、日本人化を加速させたのかもしれません。彼は一時的に、中国語を忘れてしまうほどでした。

長男が複数のアイデンティティを得た背景には、日本での幼少期に異文化とふれあう機会に恵まれたことがあったのかもしれません。私の家には日々、友人や研究室・ボランティア仲間などが押しかけていましたから、彼はさまざまな国のさまざまな個性をもった人たちに遊んでもらっていました。私がいそがしいときには、かれらが保育所まで迎えにいってくれることもたびたびありました。

こういった経験をとおして、さまざまな価値観を知り、肯定するマルチフレームの感覚を養っていたのだろうと思います。

もちろん、息子たちが通っていた北京のフランス人学校にも、50カ国近くの児童・生徒がいたため、多様な価値観にふれる機会はありました。しかし、次男の場合、日本のフレームすら確立しないあいだにそのなかへ飛び込んだため、さまざまなフレームが自分のなかで区別・序列化されず渾然一体《こんぜんいったい》となっていたのかもしれません。フランス人学校の教育方針は、特定の文化フレームを軸に育てるのではなく、むしろフランスの共和制を象徴するような普遍性を強調するのが特徴ですから、それも影響していたことでしょう。

ただし、進学した日本の中学校では、帰国生徒が外国生活でつちかった経験を大切にしつつ、日本にランディングすることが重視されていました。そのため次男も、自分のなかにある異なるフレームを認識しつつも、自然と日本のフレームになじんでいきました。

そして、高校は自由な校風でしたので、そこでは思いっきり複数のフレームを発揮したようです。みんなちがってあたりまえ。ちがう者同士が同じ目標に向かってがんばるクラブ活動にも積極的にとり組み、自分らしさを表現できるようになったといいます。

北京のフランス人学校にいたころの長男（中央）と友だち

息子たちの成長過程をふりかえると、フレームは必ずしも固定的なものではないように思います。そして、子どもの成長において、教育や学校が重要な役割をはたしていることを痛感するとともに、大きな可能性も感じました。

マルチフレームの時代

プロテニスプレーヤーの大坂《おおさか》なおみさんは、こう言っています。

私の名前は大坂なおみです。物心がついたころから、人は私を「何者か」と判断するのに困っていました。実際の私は、1つの説明で当てはまる存在ではありませんが、人はすぐに私をラベル付けしたがります。日本人？　アメリカ人？　ハイチ人？　黒人？　アジア人？　言ってみれば、私はこれらすべてです。

(「大坂なおみがつづる、人種差別根絶への決心。「行動する必要性を感じた」」日本版『Esquire』Keiko Tanaka訳、2020年)

「私はこれらすべてです」(I'm all of these things together at the same time.)。そう、彼女はどれかひとつだけのフレームに自分を閉じ込めようなどとはしません。そして同時に、どのフレームも決して拒絶《リジェクト》しないのです。

また以前、私と小説家の平野啓一郎《ひらのけいいちろう》さんとで対談したさい、彼は「分人《ぶんじん》」という考え方を提案していました。個人というひとつの単位に固執するのではなく、自分を複数化し、時と場所に応じて使い分けるというあり方です。たとえば、大学や地元、インターネット上の自分を柔軟に使い分けるといった具合です。

まさに現代は、そういった「マルチフレーム」「分人」のあり方が模索されている時代なのだと思います。

「日本人」という幻

「日本人」の子どもたちだって、教育を受けるまえはそのフレームの外にいたはずです。小学校を訪れると、低学年の子は本当に気さくで元気です。平気で私に「なんで黒いん?」と聞いてきます（私は「テニス焼けやねん」と答えます）。しかし、高学年になると、質問が出てきません。質問するためには、どういったプロセスをふむべきかというこ とがすり込まれ、自分の気持ちや考えをオープンにできないのです。

オランダの社会心理学者ヘールト・ホフステードは、多文化世界について論じるなかで、「人間性―文化―個性」という3つの層をモデル化しました。

彼は、「人間性」(human nature) とは人間が普遍的に生まれもつ性質で、「文化」(culture) とは学習によって身につけられる集団的な現象であると定義しています。そして、それぞれの人に特有なものを「個性」(personality) と位置づけ、個性は人間性と文化の両方の影響を受けて育つ、と指摘しています(『多文化世界〔原書第3版〕』有斐閣、2013年)。

まさに「日本人」というフレームは、「文化」だといえるでしょう。絶対的な性質ではなく、あくまで後天的に身につける現象にすぎないのです。

「外国にルーツをもつ子ども」という言葉があります。しかし、そうやってラベルづけをすること自体が、日本のモノフレームを絶対視し、そこに吸収することを前提としているように思えてしかたがありません。「外国にルーツをもつ子ども」には、何らかのサポートや配慮、そして日本化教育が必要だという空気に満ちているのです。

そして多くの場合、「外国にルーツをもつ子ども」と呼ばれる子は、「日本人」という幻にとり込まれ、もともともっていたフレームや個性を放棄しなければならなくなります。

でも、ちゃうねん。

オルタナティブ（別の道）はいくらでもあるのです。

もちろん、すべての人がマルチフレームになってしまうのも、気味が悪いことだと思います。しかし、モノフレームで生きる場合であっても、ただあたえられた型にはまるのではなく、みずから選びとったり、つくりあげたりしなければ、息苦しいのではないでしょうか。時代が変われば、フレームを再生成する必要が出てくることだってあるでしょう。

納得してもいないモノフレームに固執したり、他者を巻き込んだりする必要などありません。同化・吸収するのではなく、多様なフレームを認めあう社会——私はそれが、うつくしい世界なのだと思います。

終章

空気を読む

共生の知恵

アイデンティティ・クライシス

「グローバル人材」なんていう言葉があるそうです。さまざまな定義があると思いますが、たとえば文部科学省は、次のようにいっています。

グローバル人材とは、世界的な競争と共生が進む現代社会において、日本人としてのアイデンティティを持ちながら、広い視野に立って培われる教養と専門性、異なる言語、文化、価値を乗り越えて関係を構築するためのコミュニケーション能力と協調性、新しい価値を創造する能力、次世代までも視野に入れた社会貢献の意識などを持った人間

（産学連携によるグローバル人材育成推進会議「産学官によるグローバル人材の育成のための戦略」文部科学省、2011年）

いや、そんなん、どこにおんねん……！

これを読んだほかの人のリアクションをみていると、そう思ってしまうのは、私だけではないようです。

生まれてから死ぬまでをひとつの文化・社会のなかで過ごすというモデルは、グローバル化によってゆらいでいます。暮らしや学び、仕事のなかには、あらゆる国の人・物・しくみがあふれ、もはや自国の常識だけにすがることはむずかしくなりました。

そして、軸となるアイデンティティがわからなくなったり、崩れたりしてしまっている人が、世界中で増えつづけています。現代はまさに、アイデンティティ・クライシスの時代なのです。

「日本人」というアイデンティティも、例外ではありません。それは、教育や伝統によって引き継がれてきた意識にすぎず、絶対的なものではないのです（↓8章　日本人）。

たしかに、日本の内部には、規律やマナーがまだまだ色濃く残っています。京都の鴨川にいくと、人びとが等間隔の距離をあけながら規則的に座っています。それを見ると、私はいまだにきょとんとしてしまいます。ほかの国では、人びとがこんなに整然と並んでいる様子を見たことがありません。渋谷のスクランブル交差点で誰ともぶつからずにすれちがっていく日本人の姿に、驚愕《きょうがく》する外国人も多いことでしょう。

しかし、その秩序は、「空気」によって保たれており、あいまいで、つかみどころがありません。しかも、他者のためというよりは、「ルールだから」と惰性になっていたり、融通が利かなかったりするケースもあります（→5章 マナー）。

そのため、よそ者がひとり入り込むだけで崩れてしまいます。日本人同士の暗号によってつくりあげられてきた秩序は、多様化する社会においては、おどろくほどに脆弱《ぜいじゃく》なのです。

京都・鴨川

ひきこもる「空気」

「親しい（close）と同時に閉ざされている（closed）」とは、アメリカの社会学者リチャード・セネットの言葉です。彼は、都市空間の細分化が進み、それぞれのコミュニティ内での親密度が高まれば高まるほど、排他性が強くなることを指摘しました。また、そういった不寛容の根っこにあるのは、じつは、うぬぼれや自尊心などではなく、自信の喪失にほかならないといいます。社会から切り離される不安があるからこそ、内輪の習慣や感情を共有することによって「絆《きずな》」を確認しあい、閉じていくのです。

そして、少しでも自分と異なる人間を見つけたら排除します。これは、たとえ同じコミュニティ内の人間であっても起こりうることです。

風習や習慣は、もともとは何らかの信念や必然的な理由から生まれたにもかかわらず、仲間かよそ者かを見分けるための踏み絵と化します。おたがいに監視しあうなかで、本来の目的を見失い、もはや型を守ること自体が目的化していくのです。

セネットは、現代人が破壊的なぬくもりに囚《とら》われている状況をふまえ、18世紀の都市を再評価しました。広場《フォーラム》としての機能が生きていたかつての都市では、見知らぬ人同士の表現ゆたかな社交が活発だったのです（『公共性の喪失』晶文社、1991年）。

「空気を読む」ことも、もともとは他者への配慮から生まれた工夫だったはずです（→序章　空気読めない）。それなのに「空気」が、無自覚的に他者を排除し、内側に逃げ込むために利用されてしまっているのならば、本末転倒です。それこそ、「公共性の喪失」にほかなりません。

「空気」と「空間」

日本の本屋さんにいくと、「空気を読む」ことをテーマにした本があまりにもたくさんあり、圧倒されます。外国人だけではなく、日本人同士のあいだでも、「空気」によるコミュニケーション不全が起きているのでしょうか。

ただし、その多くは、「空気を読む」という枠のなかでどうやってやり過ごすか、というマニュアルのようです。「空気」の読み方は書かれていても、「空気を読む」こと自体をどう考えるかは、ほとんど書かれていないのです。

「「空気を読む」という枠から一歩引いて、日本を見つめなおさなければならないのではないか」「「空気を読む」ことそのものを、読む必要があるのではないか」。私は、そのような思いから、この本を書こうと思いました。

私の専門は、人間と空間のあり方を考察する「空間人類学」です。それもあり、「空気」の問題を考えるうえで、「空間」がヒントになるのではないかと考えています。

「空気」とは、無形（intangible）であり、「経験」の蓄積によって解読できるようになる抽象的な暗号《コード》です。一方、「空間」とは、有形（tangible）であり、身体的な「体験」を生み出す具体的なスペースです。

コミュニケーションを媒介し、円滑にする、という意味では、「空気」も「空間」も、本来は同じファシリテーションの機能をもっているのだと思います。

「体験」と「経験」のハーモニー

「空気」を読めない外国人であろうと、ワークショップという場があれば、日本文化を気軽に体験することができます。ただし、観光客気分で「体験」するだけでは、「経験」を積むことにはなりません。

浴衣体験やチャンバラ体験は、外国人観光客に人気のワークショップです。しかし、それだけでは、日本の精神文化や「空気」を理解することはできません。経験を積むには、膨大な時間と、知識をつける根気が必要です。

京都について学ぶ授業を私がコーディネートし、釜師《かまし》の大西清右衛門《おおにしせいうえもん》さん（第16代当主）をゲスト講師に招いたときのことです。

彼は、数百年まえにつくられた本物の茶釜を、美術館から運んできました。そしてさらに、学生たちに茶釜を直接触らせてくれたのです。そのうえで、先祖代々の仕事や物語、茶釜の精神性などを、対話のなかで語ってくれました。

受講生には予備知識がなく、言葉で説明するだけで伝わるものでもありませんから、まずは体験させてくれたのだろう、と思いました。たしかに、座学だけでは、単に鉄をたたくだけの仕事だと思われかねません。

正直にいうと、最初は、本物なんかもってきて、壊れたらどうすんねん……、と思っていました。しかし、実際に茶釜をその場に置いた瞬間、学生たちに何かがファーっと伝わったのを、肌で感じました。私はいまだに、あの茶釜の手触りとともに、誠実な手間ひまや歴史的な重みを、具体的な感覚として思い出すことができます。きっと、その場にいた学生たちも同じでしょう。

授業の場に、茶釜という触媒がもち込まれたことで、清右衛門さんと私たちはつながりました。そして同時に、茶釜は彼と先祖とをつなぐものでもありました。人間と空間と時間、すべてのあいだで、交流が起きていたのです。

もちろん、この授業だけで「経験」できたなどとは思いません。しかし、単なるワークショップをこえた学びとなった実感があるのも事実です。

レジャー的なワークショップでは、講師から教えられることをあくまで他人事として受け止めるだけで、その場かぎりの消費に終わってしまいがちです。しかし、熟練者と初心者のそれぞれが自分事として「本物」と向きあい、身体感覚も交えて共有する場は、深い精神性の一端にふれるきっかけに満ちています。

「経験」には、場をともにしながら、身体的にも精神的にも共鳴する、双方向的《インタラクティブ》な「体験」が欠かせません。そこでのコミュニケーションは、五感を最大限に活かしたものとなるでしょう。それを、一つひとつじっくりと積み重ねることで、文化は自分の細胞の一部となるのです。

勇気ある日本の不便

西洋近代的な価値観では、「一空間、一機能」が主流になっています。そのほうが空間の目的がわかりやすく、使うためのリテラシーや労力も少なくてすむからでしょう。ところが、日本はちがいます。たとえば畳の空間は、ちゃぶ台を出せばお茶の間、ふとんを敷けば寝間《ねま》（寝室）に変化します。目的ごとに道具を入れ替えて、ひとつの空間に複数の機能をもたせるのです。日本人にとってはあたりまえすぎて、むしろ多少の手間をかけたほうが、楽なのかもしれません。

ちゃぶ台とふとんのチェンジくらいだったら、外国人でもたえられるでしょう。しかし実際には、あらゆる空間に思いがけない機能や難解な決まりが張りめぐらされていて、恐怖です（↓2章 住宅）。私はいまでも、リテラシーを要求される日本の生活のなかで、とまどうことが多々あります（↓3章 おもてなし）。

一見、何のためにあるのかわからない不便な空間を使いこなせるのは、日本人に圧倒的な経験と知識があるからです。それだけでなく、日本人は準備や片づけの手間をとおして、精神面のコンディショニングをしたり、修行的な意義を見出したりする知恵をはぐくんできました。

京都大学でシステム工学を研究されている川上浩司《かわかみひろし》さんは、「不便で良かったこと」「手間をかける益」を「不便益」と名づけています。

たとえば、アクセスの悪い観光地ほど思い出に残ったり、電子辞書よりも手間のかかる紙の辞書のほうが、ほかの情報も目に入り、学びが深まったりすることなどが挙げられます。不便なものには「引っ掛り」がつきもので、それにより、人と物との相互作用《インタラクション》が生まれます。不便は、工夫できる余地を生み、人の能動性を高めてくれるのです（『不便から生まれるデザイン』化学同人、２０１１年）。

一方、マリでは、手間のかかる不便はめちゃくちゃ嫌われています。マリ社会は本来、便利さや合理性、機能性ばかりを追求する社会ではなかったはずですが、西洋から便利なものが入ってくると、すぐに置き換わってしまいます。西洋から入ってくる風習はすべて便利で、マリの伝統的なものはすべて不便だと認識されているといえるほどです。

もちろん、マリにも日本のような独自の文化がたくさんありました。しかし、植民地化をへて西洋へのあこがれが肥大化し、自分たちの文化を下位文化とみなすようになってしまったのです（↓7章　外人）。

そのため、コンプレックスなどみじんもなく、堂々と不便をエンジョイする日本人の背中をみていると、思うのです——

日本人、勇気あんなあ。

とても希望がわいてきます。人は、不便さのなかで試行錯誤することによってこそ、実りある経験を積むことができます。日本人は、そういった手間ひまをうまく活用しながら、文化を継承してきました。このゆたかなめんどうくささこそ、日本文化の奥深さを保つ、秘訣《ひけつ》なのです。

西洋的なものにあふれたマリの友人宅

日本庭園のしかけ

手間のかかる日本文化の代表例が、日本庭園でしょう。

日本庭園は、自然をミニマライズしてつくり出す人工空間です。かつて授業として、作庭家の小川勝章《おがわかつあき》さん（「植治《うえじ》」次期12代）と数年にわたって京都の庭をめぐったことがありました。

彼は、庭は「純粋な自然」ではなく、「人工的な自然」なのだと教えてくれました。どれだけ自然をとり入れても、どこまでも人工空間なのです。そして、自然と人工との調和を保つためには、自然へのはてしない理解と尽きせぬリスペクトが求められます。

庭は、一度つくったら終わり、というわけにはいきません。絶えず環境の影響を受けつづけるため、気の遠くなるようなメンテナンスが欠かせません。また、どんな客であっても何らかの気づきや楽しみを見出せるよう、さりげない工夫がいたるところにほどこされています。

そういった手間や気づかいによって磨きあげられた庭は、自然も、人間も、すんなりと入っていける居場所となります。うっとうしいライティングや、ごてごてしたデコレーションは必要ありません。一見、何もほどこされていないようにみえたとしても、奥ゆかしいしかけにあふれているのです。

こういった慎ましさや奥ゆかしさこそ、本来の「空気」の正体でしょう。庭を見ていると、空気をかもし出すために、きめこまかな気配りとたゆまぬ努力が重ねられていることを実感します。

文化人類学者のエドワード・ホールも、日本庭園にほどこされたしかけに注目しています。彼は、日本の「間《ま》」という概念を分析するなかで、それが庭に集約されていると指摘しました。庭は、全身の感覚をフル動員させて、におい、温度、湿度、光、影、色などを感じとらせる空間なのだといいます。

ルネッサンスとバロックの画家の単一《シングル・ポイント》遠近法に対して、日本の庭は多くの視点から眺められるように設計してある。設計者は庭の鑑賞者をあちらこちらに立止まらせる。たとえば池の真中の石に足場を与えて、丁度よい瞬間に目をあげて思いがけない見通しを見つけるようにするのである。

(『かくれた次元』みすず書房、1970年)

作庭家・小川勝章さん（写真左）から、
庭の手入れを教えてもらう学生たち

庭は、人を導いて、何かを自力で発見させる文化装置です。あくまで、そのきっかけをあたえてくれるにすぎません。

「奥ゆかしい」とは、「奥にいきたい」、つまり、「奥にいってまで知りたい」という好奇心をめばえさせる状態を指す言葉です。「空気」をまとった日本の文化は、「知りたい！」という衝動を人工的につくり出すしかけにあふれています。

やおよろずの「間」

そういったしかけは、「間」によって成り立っています。

西洋の空間では、作者や所有者の個性を、いかに完璧《かんぺき》なかたちで表現するかがめざされているふしがあります。客に見せたい最高の瞬間を演出するために、変化は好まず、ときには外部から空間を遮断します。プリセットしたものを、意図どおりに客に感じさせるインスタレーション（据えつけの設備）なのです。

一方、日本の空間には、作者・所有者の個性や意図を隠す美学があるようです。「間」は、あくまで裏方としての調律装置《チューナー》にすぎません。むしろ、客のほうが主役となって自分を投影できたり、偶然に入ってくる自然現象が活かされたりすることが好まれます。

建築家の磯崎新《いそざきあらた》さんは、「間」が、「空間」と「時間」とが未分化状態の概念であることを指摘しています。近代になってこのふたつの西欧的概念が日本に入ってきたとき、空《エンプティネス》＋間＝空間《スペース》、時《クロノス》＋間＝時間《タイム》、と翻訳されたのだそうです（『建築における「日本的なもの」』新潮社、２００３年）。

「間」について外国人に説明しようとしても、苦戦します。「間」は、不要な余白だと思われてしまうのです。しかし、日本人はその「余白」にこそ、意味や風情《ふぜい》を見出します。たとえば、ちょっとしたすき間から光が差し込んできたり、雨音が響いたり、風がとおり抜けたりすることが、空間をゆたかにします。落語や能でも、時間的な「間」が想像をかき立てる余地となり、笑いや涙をさそいます。

また磯崎さんは、「間」とは、サンスクリット語（古代インドの文語）の教典にある「ギャップ」、事物に内在している根源的な「差異」であるかもしれない、と指摘しています。じつは、日本語によってもうまく説明できていない、ともいっています（同書）。

「間」は、図面や数値にしたり、要素に還元したりできるものではありません。空間や時間、人、物、文化、自然など、森羅万象が調和した連続体《スペクトラム》なのです。そして、精神と身体、抽象と具体、自と他、あるいは、ハイコンテクストとローコンテクストといった、多様な差異の架け橋となる可能性を秘めています。

「間」自体は主役ではなく、目に見えません。だからこそ、誰だろうと招き入れ、コミュニケーションをささそうのです。一見、無色透明でありながらも、人びとがそれぞれの色を反映できる文化を、日本は古くからはぐくんできました。

「花見」も、自然のサイクルを利用しながら交流を生み出すきっかけだと考えると、「間」の文化の一種といえるでしょう（→4章 花見）。また、日本社会のなかであらゆる宗教が渾然一体となっているのも、「無宗教」という文化が、「間」と同じ性質をもっているからではないでしょうか（→1章 無宗教）。

まるで日本の神々がそこらじゅうにあふれているかのように、「間」は、日本のいたるところにほどこされてきました。私は、こういった包容力をもつ「間」の文化に、ひとつの社会モデルとなる可能性を感じています。

町内会のソクラテス

「にぎやかでよろしいね」というご近所の方の言葉に気をよくし、引きつづき自宅でパーティーをくりかえしていたら、警察に通報されてしまったことがありました（→はじめに）。

そのご近所の方は、私に言葉の裏の意味が伝わっていると思ったのでしょう。日本のコミュニケーション・スタイルを理解していなかった私に非があることは、まちがいありません。当時の私には、あまりにも経験が足りていませんでした。

そんな私ですが、その後、町内会の組長を務めるチャンスをいただいたことがありました。町内会費の集金をしたり、祭りの運営に参加したり、クレーム対応をしたりと、それなりに負担の大きい仕事です。とくに、当時の私たちの組には、外国人など、さまざまなバックグラウンドをもつ方々がいましたので、調整が大変なこともありました。

町内会の自治は、対話のチャンスに満ちていました。祭りなどの行事は、コミュニケーションなくして実施できません。特別なイベントだけではありません。組長をしていると、「あの家の犬の鳴き声、どうにかしてくださいよ！」などと、ありとあらゆる不満が寄せられます。

「空気」の読めなさを自覚していた私は、ソクラテスのように対話を心がけました。古代ギリシアの哲学者・ソクラテスは、徹底的に対話を重視した人です。彼は、知らない人だろうと誰かれかまわず議論をふっかけ、その場でしか生まれないコミュニケーションによって、理解を深めようとしました。私は、「空気」を読めるようになるには、対話のなかで経験を積むしかないと考えたのです。

私は日々、ご近所の方々の声を聴きつづけ、疑問が出てきたら何度でも質問をくりかえし、いっしょに考えました。また、気軽に話してもらえるよう、オープンであろうと努めました。もちろん、摩擦が起きることもありましたが、それを解消するすべは、さらなる対話以外にありませんでした。

数年後、すでに組長の仕事も別の人にバトンタッチしたころに、家族といっしょに外国からきて一時滞在されていた方から感謝されました。彼は当初、「町内会費なんか払って、私になんのメリットがあるんですか!?」と反発していました。

しかし、一度自分の国に戻って、日本の町内会のつながりのありがたさを遠くからかみしめたのだそうです。仕事の都合でふたたび数年間、日本で生活をすることになり、わざわざ感謝の気持ちを伝えてくれたのでした。その後は、地域コミュニティを積極的に活用し、区役所が支援するコミュニティ・カフェなどにも参加していたようです。

日本の「空気」

対話は、相手のことを知らなければ知らないほど、効果的です。知らない人との出会いは、無限の問いを生み出します。知らないからこそ、次々と疑問がわき、対話が生まれ、理解が深まり、知識も増えます。「知らへん」と言って避けるのではなく、だからこそ、そこに見どころを探していく姿勢が、世界をゆたかにするのです。

コミュニケーションは、自然発生するものではありません。意志と努力で、人為的につくりあげるものです。このめんどうな営みをとおしてしか、私たちは共生できません。

「空気」は、換気しなければ、よどみます。「空気」は、こり固まったルールでも、一方的な圧力でもありません。わかりあうために、おたがいに寄りそって分かちあう、共生の知恵です。そして、コミュニケーションのたびに変化《メタモルフォーゼ》する、創造的な営みなのです。

日本人のみなさんが、もしも、外国人に手を差しのべたいと思ってくださるのなら、お願いがあります。

足元の文化と、身近な異文化を見つめてほしいのです。

もしかすると、お茶の世界には、閉鎖的なイメージがあるかもしれません。しかし、裏千家の千玄室《せんげんしつ》さん（第15代千宗室《そうしつ》）は、まさにあの「グローバル人材」と呼ぶべき人です。

彼は大正生まれで、若いころにハワイに留学した経験があるそうです。それもあってか、これまで世界各国を飛びまわり、精力的に活動してこられました。たとえば、「茶道留学制度」を設けて何十カ国もの国々から修道生を受け入れたり、「裏千家インターナショナル・アソシエーション」（ＵＩＡ）を設立して国際交流をうながしたりしてきました。

その彼が、「日本人が真の国際人になるには日本の文化を知らねばならない」と強調しています。

代々つづく家元という、一見すると強固なモノフレームになりそうな環境にもかかわらず、玄室さんがマルチフレームを獲得できたのは、足元のベーシックフレームを深く見つめつづけたからでしょう。

自国の文化をしっかりと見定めたうえで、身のまわりにある異文化から理解していくことが、肝心です。さもなければ、リチャード・セネットが指摘するように、自信のなさの裏返しから、排他的になりかねません。

玄室さんは以前、「日本のお茶は中国で発祥し、朝鮮をへて伝わった」と言っていました。自国の文化を極め、ゆるがぬアイデンティティを確立したからこそ、ほかの文化を冷静に直視できるようになるのです。

必ずしも、一足飛びに留学する必要などありません。まずは足元の文化に目をこらしてみると、じつは、たくさんの異文化がそばにあることに気がつくはずです。なぜなら、文化は、核を保ちつつも、つねに時代の変化とともに異文化と溶けあってきた、結晶だからです（→6章　観光地）。

グローバル化したこれからの社会においては、多様性がカギとなることはまちがいありません。この多様性が意味しているのは、おたがいを認めあい、いっしょに成長するということです。これを実現してはじめて、理想的な共同体が実現できるのではないでしょうか。

外国人に手を差しのべることができるのは、日本人だけではありません。

いまや、たくさんの外国人がお茶の先生を担う時代です。お茶にかぎらず、武道でも、漫画でも、外国人の話を聞くなかで、「えっ？　こっちより詳しいやん……！」という経験をしたことが、一度くらいはあるのではないでしょうか。さまざまな分野で、日本の文化継承や発信に外国人も貢献しているのです。

もはや、日本文化を伝えたり、伝えられたりするのに、日本人も外国人もありません。何も知らない外国人がやってきた場合は、日本で経験を積んだ外国人があいだに立ったほうが、うまくいくことだってあるでしょう。

日本はいま、壁のなかに閉じこもり、「空気」の読みあいに神経をすり減らすのか、扉を開いて多様な人びとを受け入れ、新鮮な「空気」のなかで共生社会を楽しむのか、という岐路に立っています。

おわりに
――「なんでやねん」という哲学

最近、私がイベントなどで「なんでやねん」と発言すると、「出たー！」「待ってました！」というリアクションをとられることが多くなりました。

――いや、「待ってました」って、なんでやねん。

「なんでやねん」は、単なるギャグではありません。哲学なのです。

ツッコミを入れるためには、ある現象に対して疑問をもつ必要があります。そして、「問い」を立てるためには、現象の背景にある構造を分析しなければなりません。ツッコミとは、自分の頭で考える、クリエイティブな営みなのです。

私の「なんでやねん」を期待する人の背後には、一種のステレオタイプがひそんでいるのかもしれません。「外国人が日本を斬る」というパターンは、むかしからよくメディアで用いられてきた手法です。

もちろん、外国人だからこそ語れることがあるのも事実でしょう。疑問や気づきを共有したり、提案したりすることは、私のひとつの使命だとも思っています。この本も、その一環です。

しかし、それがエンターテインメントとして消費されたとたん、お決まりの型におちいります。「なんでやねん」というフレーズだけがうわすべりし、もともとの「問い」は、笑いのなかにうもれ、忘れ去られてしまうのです。

私の「なんでやねん」を待っている人がいるとしたら、伝えたいことがあります。次は、あなたの番です。世界と未来は、待ち望んでいます。

あなたから生まれる、「なんでやねん」を。

ウスビ・サコ

初　出

世界思想社ウェブマガジン
「せかいしそう」の連載
「日本の「空気」―― ウスビ・サコのコミュニケーション論」
（2019年11月～2020年12月）
単行本化にあたり、加筆・修正をおこない、
「ウスビ・サコの「まだ、空気読めません」」
と改題した

ウスビ・サコ

Oussouby SACKO

京都精華大学教授・学長

1966年、マリ共和国生まれ。高校卒業後、国費留学生として中国に留学。北京語言大学、東南大学をへて、1991年に来日。1992年、京都大学大学院工学研究科建築学専攻修士課程入学。1999年、同博士課程修了。2000年、京都大学より博士（工学）の学位を取得。2002年、日本国籍を取得し、自称「マリアン・ジャパニーズ」となった。京都精華大学人文学部教員、学部長をへて、2018年4月、学長に就任。学長を務めながら、幅広く学生たちの指導をおこなっている。専門は空間人類学。「バマコの中庭型在来住宅の生活行動」「京都の町家再生」「コミュニティ再生」「西アフリカの世界文化遺産（都市と建築）の保存・改修」など、人間・社会と建築空間の関係性をさまざまな角度から調査研究している。著書に『アフリカ人学長、京都修行中』（文藝春秋）、『アフリカ出身 サコ学長、日本を語る』（朝日新聞出版）、『「これからの世界」を生きる君に伝えたいこと』（大和書房）、『現代アフリカ文化の今――15の視点から、その現在地を探る』（共編著、青幻舎）、『住まいがつたえる世界のくらし――今日の居住文化誌』（共著、世界思想社）、『マリを知るための58章』（共著、明石書店）など。

ウスビ・サコの「まだ、空気読めません」

2021年10月31日　第1刷発行　　定価はカバーに表示しています

著　者　ウスビ・サコ

発行者　上原寿明

世界思想社

京都市左京区岩倉南桑原町56　〒606-0031
電話　075(721)6500
振替　01000-6-2908
http://sekaishisosha.jp/

（印刷・製本　太洋社）

ISBN978-4-7907-1762-1

『ウスビ・サコの「まだ、空気読めません」』の読者におすすめの本

文化人類学の思考法
松村圭一郎・中川理・石井美保 編

「文化人類学は『これまでのあたりまえ』の外へと出ていくための『思考のギア（装備）』だ。本書はその最先端の道具が一式詰まった心強い『道具箱』だ。こんなに『使える』本は滅多にない。ビジネスマンからクリエイター、学生まで、下手な実用書を買うくらいなら、これを常備しておくことをおすすめする」――WIRED日本版元編集長・若林恵氏　本体1,800円

二枚腰のすすめ――鷲田清一の人生案内
鷲田清一

出口なし、行き場なし、底なし沼――哲学者が答える71の悩み。読売新聞の人気連載「人生案内」から名問答を厳選。回答を裏打ちする人生作法を「二枚腰のすすめ」として新たに書き下ろし。さらに付録として、自身の二枚腰の人生を描いた、写真満載の自筆年譜と、全著書リストを収載。

本体1,700円

感性は感動しない――美術の見方、批評の作法
椹木野衣

子供の絵はなぜいいの？　絵はどうやって見てどう評価すればいい？　美術批評家・椹木野衣が、絵の見方と批評の作法を伝授し、批評の根となる人生を描く。著者初の書き下ろしエッセイ集。25校以上の大学入試で出題された「感性は感動しない」を収載。　本体1,700円

価格は税別、2021年10月現在